Einaudi. Stile Libero Big

GW00645025

Dello stesso autore nel catalogo Einaudi

Almost Blue

Il giorno del lupo

Mistero in blu

L'isola dell'Angelo Caduto

Guernica

Un giorno dopo l'altro

Laura di Rimini

Lupo mannaro

Medical Thriller (con E. Baldini e G. Rigosi)

Falange armata

Misteri d'Italia

Il lato sinistro del cuore

Nuovi misteri d'Italia

La mattanza

Piazza Fontana

L'ottava vibrazione

Storie di bande criminali, di mafie e di persone oneste

G8. Cronaca di una battaglia

La faccia nascosta della luna

Protocollo (con M. Bolognesi)

L'ispettore Coliandro

I veleni del crimine

Giudici (con A. Camilleri e G. De Cataldo)

Il sogno di volare

L'ispettore Grazia Negro

Giochi criminali

(con G. De Cataldo, M. de Giovanni e D. De Silva)

Carta bianca

Albergo Italia

Il tempo delle iene

Carlo Lucarelli
Intrigo italiano
Il ritorno del commissario De Luca

Einaudi

© 2017 Giulio Einaudi editore s.p.a., Torino
www.einaudi.it

ISBN 978-88-06-22437-0

Intrigo italiano

*A Tecla, amica,
e perché anch'io, come moltissimi,
senza di lei non sarei stato qui, cosí.*

La lancetta del contagiri si impennò vibrando nell'occhio rotondo del quadrante di destra, veloce, mentre De Luca si incassava con le spalle tra il sedile e la portiera. L'Aurelia aveva fatto un balzo in avanti ma si era fermata subito, col ruggito del motore che si spegneva in un ringhio trattenuto.

Giannino bestemmiò, la *c* di *cane* aspirata come un colpo di tosse, alla toscana, poi abbassò la levetta del cambio e la tirò indietro, scalando la marcia.

– Mi scusi, ingegnere... c'è quel bischero in motore davanti che mi fa impazzire.

De Luca lanciò un'occhiata oltre il parabrezza, alla strada buia illuminata dalla luce gialla dei fari. Tra il brillare delle gocce di pioggia spazzate dai tergicristalli c'era una sagoma ingobbita su una motocicletta e poco piú avanti il quadrato grigiastro del cassone di tela di un camion. Luccicava tutto, di acqua e di luna, e ogni volta che Giannino provava a superare De Luca si trovava quasi sul ciglio opposto della strada, stretta e abbastanza tortuosa.

– E c'ha anche un Saturno 500 sotto il sedere, Dio bonino, e corri un po', allora! – Giannino guardò De Luca. – Mi faccia il favore, ingegnere, se mi sta seduto cosí contro lo sportello si allacci la cintura.

De Luca obbedí e già che c'era si chiuse attorno al collo le falde del soprabito, incassandoci dentro il mento. Provò ad arrivare alla rotellina del riscaldamento sul cruscotto, ma la cintura gli aveva già bloccato la vita contro il sedile e ci rinunciò. Tornò ad abbandonarsi nel suo angolo. Anche Giannino allungò un braccio, ma non verso il riscaldamento. Premette il pulsante dell'autoradio e lo rischiacciò subito appena il gracchiare ritmato invase l'abitacolo, fastidioso e distorto. Lo aveva già fatto prima, cercando di regolare la manopola su una voce straziata dalle scariche – *Teddy Reno*, aveva sussurrato Giannino – e poi, con un altro tasto, su un silenzio plumbeo, attraversato da un fischio lontano. Ma era nervoso, e non ci riusciva a stare zitto.

– *È stata colpa mia*, – canticchiò, – *soltanto colpa mia, d'amarti alla follia...* tra un mesetto c'è Sanremo, ingegnere, lo so che non gliene frega nulla, ma io ci vado matto. *Non mi lusingar, il romanzo finí...* oh Madonna, questo bischero qui!

Ci provò di nuovo. Afferrò la levetta sul lato del volante, scalò la marcia e schiacciò l'acceleratore perché il motociclista davanti si era spostato sulla destra, lasciandogli strada. Fece per affacciarsi oltre il camion che copriva gran parte della vista ma dovette frenare addirittura, perché aveva fatto lo stesso anche la motocicletta, tornando in mezzo. Le gomme dell'Aurelia scivolarono sul nevischio bagnato che copriva la statale ma De Luca non se ne accorse neppure, perché Giannino era bravo.

– Vabbe', abbiamo anche la guida a destra e non si vede una fava, ed è pure una strada stretta... però che due maroni, come dicono a Bologna. Cosa si fa quando arriviamo, ingegnere? Poliziotto buono e poliziotto cattivo, come nei film? Lei che sceglie? Io farei il cattivo...

De Luca non rispose e Giannino continuò a parlare. Era sempre cosí e nei giorni che erano stati insieme ormai ci aveva fatto l'abitudine, soprattutto in macchina. L'altro parlava con la sua cantilena toscana, fiorentina proprio, e lui pensava, isolato da quella voce da ventenne, sempre fresca e sorridente, sempre, anche quando diceva il contrario. Pensava.

Pensava a tre cose, contemporaneamente, confuse dall'interruzione di prima, una stupida, una importante e un'altra che ancora non aveva capito.

Quella stupida. La voce grassa del commendator D'Umberto, il suo accento a metà tra Napoli e Roma: *Vedi, De Luca, per fare lo sbirro ci vuole un cuore di cane, ma di razza diversa. Ci sono i questurini comuni che hanno un cuore di cane da guardia e ci sono quelli della Mobile che ne hanno uno di cane da caccia. Tu sei un cane da tartufo, ragazzo mio. Ecco, per quelli come noi, invece, ci vuole un cuore di cane bastardo.*

Quella importante: perché non ucciderla subito, la moglie di Cresca. Strangolarla, annegarla, perché non finirla subito, lavoro o raptus che fosse.

E intanto gli era tornata in mente l'altra cosa, quella che ancora non aveva capito e infatti stava confondendo tutto.

Una sensazione, piú che un pensiero.

Angoscia. Non solo: rabbia.

Di piú: paura.

Gli increspava il respiro in gola, come raucedine, tanto che si schiarí la voce, d'istinto. Giannino si girò verso De Luca.

– Dica, ingegnere.

– Niente, niente.

Angoscia, rabbia e paura. Le sentiva in bocca, amare. Pensò a Claudia, alle sue gambe lunghe da mondina nella fotografia e allora si aggiunse anche il desiderio, ma quello non c'entrava, non aveva niente a che fare con quella cosa che gli vibrava laggiú, tra lo stomaco e il cuore.

Un segnale di pericolo.

Ma era già troppo tardi, perché intanto il motociclista aveva accelerato, superando il camion che aveva davanti ed era sparito nel buio della notte gelida di pioggia e nevischio, cosí Giannino aveva detto *Oh, finalmente!*, aveva scalato la marcia sull'acceleratore a tavoletta, e con un risucchio ruggente di benzina l'Aurelia era uscita tutta sulla sinistra, lanciata nel sorpasso e De Luca aveva urlato *No!*, ma solo nella sua testa, senza voce.

Troppo tardi.

De Luca la vide per primo, la curva che piegava la strada come un gomito, e istintivamente piantò i piedi sul pavimento dell'auto, la mano sinistra che abbrancava la maniglia cosí forte da farsi male alle dita, la bocca ancora spalancata.

Giannino se ne accorse un istante dopo, frenò con un'altra bestemmia tossita tra i denti e girò il volante per rientrare a destra, di nuovo dietro al camion, ma infatti era troppo tardi.

C'era un'auto incolonnata alle loro spalle, una 1900 massiccia come un ferro da stiro che appena l'Aurelia si era lanciata aveva occupato tutto lo spazio, fin quasi a tamponare il camion, un muro continuo di vetro, gomme, e lamiera, che gli impediva di rientrare, lanciati come un proiettile contro l'angolo della curva.

– Oh Dio! – gridò Giannino, e poi *Mamma, no!*, perché proprio su quell'angolo c'era la spallina di un ponte, De Luca lo vide che si avvicinava velocissimo uscendo dal buio lucido della notte, puntavano sulla striscia bianca dipinta sui mattoni come su un bersaglio, seguiti dal fischio lacerante dei freni che inchiodavano le ruote, inutilmente.

Nessun respiro, nessun pensiero, neanche il cuore che batteva, De Luca restò ghiacciato per un istante, poi lo schianto lo gettò in avanti, la cintura che gli spremeva fuori dalla pancia tutto il fiato che aveva, la mano alla maniglia che sembrava troncata dal polso, il collo come un elastico sul punto di spezzarsi e in cima il volto immerso in una nuvola di vetro freddo.

Nessun dolore.

Poi, un colpo secco come un pugno a martello in mezzo alla fronte lo schiacciò giú in un buio cosí nero e profondo che non c'era piú niente.

Prima

(21-27 dicembre 1953)

«Oggi»

Settimanale di politica attualità e cultura, anno IX, n. 52, 60 lire.
In copertina: SPOSERÀ UN OLANDESE MARIA LUISA PRIMOGENITA
DI GIOVANNA DI BULGARIA (vedere altre fotografie all'interno alle
pp. 12-13).
All'interno: DUE SCORPIONI IN BOTTIGLIA, il discorso «atomico»
di Eisenhower caratterizza l'ultima fase dei rapporti tra i due for-
midabili contendenti, Urss e Usa • DEPONGONO CONTRO I ROSSI,
Detroit: ecco quali precauzioni vengono usate negli Stati Uniti
per assicurare l'immunità ai testi chiamati a deporre in proces-
si in cui siano implicati i comunisti • QUESTE LE PREVISIONI PER
IL 1954, astrologi e indovini affermano in generale che il nuovo anno sarà complessivamente buono per l'Italia • LE SCIMMIE
CHE VOLANO VOGLIONO IL TÈ ALLE CINQUE, esigenze, abitudini e
capricci dei vari animali durante i viaggi in aeroplano • IL VOLU-
BILE CUORE DEI DURI GERARCHI DEL PCI, quasi tutti i capi comunisti italiani hanno ripudiato la moglie per amore di una compagna
piú giovane.

«Le Ore»

Settimanale fotografico d'informazione politica e letteraria,
n. 33, anno I, 60 pagine, 60 lire.
In copertina: TRA HOLLYWOOD E LA CASBAH GINA LOLLOBRIGIDA
SCEGLIE L'AMORE (fotoservizio all'interno).
All'interno: LA VOCE DELL'AMERICA, Foster Dulles, nella recente
riunione del Consiglio Atlantico, ha dichiarato che gli aiuti americani all'Europa cesseranno immediatamente qualora sia dilazionata
la ratifica della comunità europea di difesa • I DODICI SÍ DEL 1953,

ecco alcuni tra i piú memorabili matrimoni dell'anno che si chiude • RASCEL PIUTTOSTO CORSARO, il comico romano sta provando
una nuova rivista: questa volta in luogo del cavallo comparirà in
scena uno scimpanzé.
Pubblicità: CYNAR, contro il logorio della vita moderna.

«Tempo»

Anno XV, n. 52, 56 pagine, 60 lire.

All'interno: E ADESSO DAI SOVIETICI SI ATTENDONO I FATTI, dopo
il discorso del presidente Eisenhower la Russia dovrà provare la sua
volontà di pace • DESTINAZIONE LUNA NEL '62, finalmente si conosce
la data del grande viaggio interplanetario che un gruppo di scienziati sta preparando con l'appoggio del governo degli Stati Uniti.
Pubblicità: AMARO CORA, le virtú dell'amaro in dolce gusto.

«La Settimana Incom Illustrata»

Anno VI, n. 52, 80 pagine, 60 lire.

In copertina: LUCIA BOSÈ SCEGLIE I DONI DI NATALE PER IL SUO
PICCOLO AMICO ROBERTINO.

All'interno: NON BASTA ALLEARSI PER FERMARE I COMUNISTI,
la fluidità dell'attuale situazione parlamentare favorisce il governo Pella, ma il dinamico attivismo della sinistra impone un deciso programma politico-sociale al Partito di maggioranza • LE
PETTINATURE DI MODA PER IL 1954, corti ma non troppo, per il
giorno: taglio all'italiana, pochi riccioli, orecchie coperte • NES-
SUNO LEGGE LE LETTERE INDIRIZZATE A GESÚ BAMBINO, da piú di
cinque secoli i fedeli di tutto il mondo chiedono grazie alla sta-
tuetta dell'Ara Coeli.
Pubblicità: La deliziosa COCA-COLA prima in qualità da oltre
mezzo secolo.

«Sorrisi e Canzoni»

Settimanale di radiocanzoni e varietà, anno II, n. 32, lire 30.
In copertina: SOSTITUITO LATILLA NELL'ORCHESTRA ANGELINI DA
BRUNO PALLESI (leggere a p. 4) e DUE CANZONI PER GINA, la Lollobrigida interpreta sugli schermi *Pane amore e fantasia* dove canta
due belle canzoni (vedi p. 16).

All'interno: RADIOCANZONI: TRISTE SORRISO (*che mai, o signora gentil vi rattrista...*), NON TI POTRÒ SCORDARE (*non mi lusingar, il romanzo finí, tu sei già stanca d'amar...*), È STATA COLPA MIA (*è stata colpa mia, soltanto colpa mia, d'amarti alla follia...*), MALANOTTE (*Oh... o-o-o-oh, luce del sol, oh... o-o-o-oh, si spegne nel ciel, la notte viene giú, e stende il suo vel, di sogni d'amor, di tristi pensier*).

21 dicembre 1953, lunedí

Allungò il passo, quasi in un salto, per evitare il tram che scampanellava appena partito dalla piazzola, e si infilò sotto il portico scivolando tra due vecchie 1100 parcheggiate davanti alle colonne. C'era un cartellone enorme lungo tutta la facciata dell'Arena del Sole, con lettere rosse che incombevano a sbalzo sui passanti, SALOMÈ, l'accento finale che grattava il velo della sottana svolazzante di Rita Hayworth come se volesse sollevarla.

De Luca alzò lo sguardo, istintivamente, poi affondò il mento nel bavero sollevato del soprabito, perché è vero che i portici a Bologna riparano, ma sotto, a dicembre, fa freddo lo stesso.

– Se cade qualcosa è neve, – disse un vecchio intabarrato, seduto dietro un braciere di caldarroste, ma lo disse in dialetto, e De Luca non era piú abituato al bolognese. Tirò dritto lungo via Indipendenza finché non vide l'insegna del caffè che stava cercando, sotto un portico arrotondato dalle colonne liberty, e rapido entrò. Non era piú abituato neppure alla pistola nella tasca e trasalí quando la fece sbattere contro lo stipite della porta a vetri per farsi da parte mentre una signora usciva di prepotenza.

Piú che un caffè era una pasticceria, ed era piena di gente. De Luca si aspettava un bar anonimo in un vicolo altrettanto oscuro, ma lí, in pieno centro, tra cappotti e colli di pelliccia, cioccolatini in pacchi regalo e i lustrini dorati delle decorazioni natalizie, si sentiva smarrito. Si guardò attorno, senza sapere chi cercare.

– Ingegnere! Ingegner Morandi!

C'era un giovane appoggiato al bancone di vetro nell'angolo del negozio riservato alle consumazioni. De Luca lo notò perché agitava un braccio per chiamarlo, dal momento che si era dimenticato anche di essere proprio lui, l'ingegner Morandi.

– Giannino, – disse il giovane. – Onorato.

De Luca gli strinse la mano. A vederlo sembrava poco piú di un ragazzo che volesse apparire piú grande. Capelli spartiti da una riga disegnata col pettine e lisciati dalla brillantina, sciarpa di seta gialla a motivi cachemire sotto il bavero di un impermeabile imbottito. Cravattina dal nodo stretto su una camicia bianca. Sorriso da pubblicità. Che fosse toscano lo aveva già sentito da come aveva soffiato la *t*, e prima ancora dalla scivolata sulla *g* di Giannino. Se fosse un nome o un cognome, e soprattutto se fosse vero, non glielo chiese, cosí come l'altro non gli avrebbe chiesto se era davvero un ingegnere.

– *Majani* fa la cioccolata piú buona del mondo, gliene posso offrire una?

– No, grazie...

– Non sa quello che si perde, davvero. Con questo freddo, poi...

– No, grazie...

– Un caffè, allora?

De Luca sentí lo stomaco che si contorceva in un ringhio veloce, facendolo deglutire.

– Sí, – disse, – quello sí.

– Ha fatto colazione? Prenda un cornetto, ingegnere, meglio ancora, una pastina...

De Luca fece *No* con la testa e Giannino gridò *Un caffè,*

il dito dritto come una spada che si abbassava a indicare il
bancone davanti a loro. Arrivò subito e Giannino fece appena in tempo a versare un cucchiaino di zucchero nella
tazzina, che De Luca girò rapidamente, prima di sorseg-
giare in fretta il caffè cosí caldo da scottare la lingua. Non
aveva fatto colazione, ma non mangiava mai, la mattina.
E il caffè lo aveva preso poco prima in stazione, una volta sceso dal treno, ma già si sentiva in crisi da astinenza.

– Sa, ingegnere, l'ho riconosciuta dalla fotografia. Era
una di quelle del processo, aveva un impermeabile come
questo, uguale uguale.

De Luca non rispose. Si concentrò sul cucchiaino con
cui raccolse lo zucchero dal fondo della tazzina.

– Ovvio, son passati solo quattro anni, è facile, però
per essere sicuri che la riconoscessi mi hanno dato anche
quella dove stava in divisa, col berretto e la camicia nera, e lí, siamo durante la guerra, di anni ne son passati almeno dieci, ma anche adesso è uguale uguale, sempre lei.

De Luca finí di succhiare il cucchiaino. Giannino aveva abbassato la voce e lui si sentiva addosso il suo sguardo
sorridente, ma malizioso e cattivo, da ragazzino che gioca.
Negli ultimi tempi ne aveva subiti tanti di sguardi cosí, e
aveva sempre tenuto gli occhi bassi, davanti al pubblico
ministero, davanti al giudice, anche davanti al suo avvocato difensore, per non parlare di tutti quelli che erano
venuti dopo.

Ma questo era solo un ragazzo che voleva sembrare piú
grande, e teoricamente era anche un suo sottoposto, anzi,
lo era proprio, per cui De Luca li alzò, gli occhi, e lo fissò.

– Hai finito la tua cioccolata? – disse. – Possiamo andare?

Giannino smise di sorridere per un istante. Ricominciò
subito, sempre da pubblicità e ancora malizioso, ma questa volta piú cauto.

– Prontissimo, ingegnere. Lasci, lasci, faccio io... ci mancherebbe.

L'auto era parcheggiata poco piú avanti, in divieto di sosta, perché sotto il portico c'era una banca. Nuova di zecca, cosí lucida che sembrava d'argento. Giannino la indicò a De Luca quando erano ancora tra le colonne, annuendo d'orgoglio.

– Lancia Aurelia B20, ingegnere, ma quella appena uscita, la due litri e mezzo. No, voglio dire, ho riscosso un favore che mi dovevano, e meglio di cosí non ci potevano assegnare, non crede? – La accarezzò, anche, battendo due colpetti a mano aperta sul baule arrotondato. – Che fondoschiena... hanno tolto le codine del modello vecchio e adesso è un'altra cosa... non la trova sensuale, ingegnere?

De Luca aprí la portiera ed entrò nell'auto dalla parte del passeggero. C'era una paletta della Stradale sul cruscotto. La prese e lanciò uno sguardo interrogativo a Giannino, che gliela sfilò di mano e la lanciò dietro, sui due mezzi sedili stretti sotto il tettuccio curvo, da coupé.

– Un prestito tra colleghi, – disse, – dall'amministrazione mi hanno fatto un cazziatone perché prendo troppe multe –. Tirò lo starter e poi mise in moto con la chiavetta, premendo l'acceleratore con dolcezza. – È inutile che le chieda di come canta il motore... mi sa che se ci davano una vecchia Topolino col bombolone del metano sul tetto per lei era lo stesso, ingegnere, o sbaglio?

Questa volta gli strappò un sorriso. De Luca scivolò sul divanetto che faceva da sedile, accucciandosi nell'angolo tra lo schienale e la portiera, le braccia strette sul petto a reprimere un brivido di freddo cosí violento che lo fece tremare. Gli succedeva sempre quando saliva in auto, d'inverno, come se lo schienale gelato gli risucchiasse di colpo

tutto il calore del corpo. Gli succedeva anche di avere la
nausea sentendo l'odore intenso di stoffa e metallo delle
macchine nuove, ma aprire il finestrino sarebbe stato peggio, per cui decise di resistere.

Intanto Giannino era partito e aveva già svoltato a destra per imboccare via Ugo Bassi.

– Allora, auto no, ingegnere... calcio? Lo segue il calcio? Io tengo per la Fiorentina, mi sembra ovvio, son nato
praticamente in piazza della Signoria, e si sente, ma lei?
Juventino? Milanista?

De Luca scosse la testa e lo fece di nuovo quando Giannino disse *Non sarà mica interista, vero?*

– Intendevo che no, non seguo il calcio.

– Il cinema? La musica! A me piace la musica, quella
moderna, le canzonette, insomma. Anche il jazz, però. Tra
un mesetto c'è Sanremo, ingegnere. Nilla Pizzi, Teddy
Reno, Flo Sandon's... o è piú un tipo da Claudio Villa? –
gli lanciò un'occhiata, scalando la marcia per accelerare
e infilarsi in via Marconi prima di un tram. – Non gliene
importa niente, vero? Non è mica facile fare conversazione con lei, ingegnere.

– E se parlassimo del caso?

Giannino annuí. Suonò il clacson per togliere un pedo-
ne dal mezzo della strada, poi prese un fascicolo dalla tasca della portiera e lo porse a De Luca. Era una cartellina
color panna con l'intestazione della questura di Bologna,
squadra Mobile. De Luca strinse le labbra, risucchiando
l'aria come se avesse l'acquolina.

La prima era una fotografia scattata da vicino, il corpo nudo di una donna accasciato sul bordo di una vasca
da bagno, preso da dietro, con le spalle e la testa dentro
l'acqua. Non era facile distinguerlo perché era un bianco
e nero che si confondeva su un grigio quasi uniforme, con

solo la curva delle natiche in primo piano a dare una chiave per sistemare le varie sfumature.

Dopo ce ne erano altre, piú nitide, la massa scura dei capelli che galleggiava immobile nell'acqua insaponata come la testa di una Medusa, dettagli del corpo e del bagno, l'impronta insanguinata di un piede nudo sul pavimento, gli scorci di un'altra stanza, un telefono nero sospeso su un muro, impiccato al filo teso.

De Luca le sfogliò in fretta, quasi senza guardarle, e fece lo stesso con le pagine battute a macchina, relazione di servizio della volante intervenuta, considerazioni del funzionario della Mobile, ispezione cadaverica del medico legale, c'era anche un rapportino dei carabinieri, oltre ai ritagli di giornale, stranamente ancora pochi, nonostante fosse avvenuto tutto ormai due giorni prima.

La scheda della vittima l'aveva già letta in treno, piú volte e con una foga che gli aveva troncato il respiro, quando era partito da Roma con l'incarico di andare a Bologna a risolvere l'omicidio di Mantovani Stefania in Cresca, nata a Ferrara il 23 agosto 1922 – quindi trentun anni – altezza un metro e settanta, peso cinquantadue chili, carnagione chiara, occhi verdi, capelli rossi, segni particolari nessuno. «Vedova», avevano aggiunto sotto, perché suo marito, il professor Mario Cresca, era morto due mesi prima in un incidente d'auto, come sapeva anche De Luca.

– Grazie tante, ingegnere. Credevo di aver fatto un bel lavoro, – disse Giannino, deluso.

– Ottimo lavoro, infatti. Ma non voglio leggerlo adesso. Non so chi sia questo... – sfogliò i documenti, – commissario D'Orrico, non so come lavorino lui e la sua squadra e non voglio farmi fuorviare dalle loro considerazioni. Preferisco vedere il luogo del delitto e farmi prima un'idea mia.

Giannino si strinse nelle spalle. Svoltò a sinistra in via Riva di Reno, percorse tutto il canale, girò sul ponticello e accostò, spegnendo il motore. Si abbassò sul volante per indicare una piccola finestra che stava poco sopra il bordo del parabrezza, le persiane chiuse, sbarrate, come quelle delle case di tolleranza.

– Eccolo là, ingegnere. Il «trappolone» di Cresca.

– Come lo chiama, lei? Scannatoio? Appartamento da scapolo? Be', se uno scapolo non lo è piú allora da noi si dice trappolone, dove ci si porta le amanti, insomma.

Era in cima alle scale, sull'ultimo pianerottolo stretto che si affacciava sul vuoto oltre una ringhiera bassa e quadrata. C'erano delle strisce di nastro adesivo sullo stipite della porta, con sopra scritto «Polizia», a matita, e il timbro della questura. De Luca le indicò a Giannino con un cenno del mento, perché aveva le mani affondate nelle tasche del soprabito, il fascicolo color panna sotto braccio. Sembrava che tutto il freddo umido della strada fosse stato risucchiato fin lassú, lungo la tromba delle scale.

Giannino strappò i sigilli, poi tirò fuori un grimaldello e in un attimo aprí la porta. Sorrise a De Luca, che però non lo guardava piú. Fissava il buio oltre la soglia con il cuore che aveva cominciato a battergli forte e questa volta sí, un eccesso di saliva, di acquolina, proprio, che lo costrinse a deglutire.

L'interruttore stava accanto alla porta. De Luca girò la chiavetta e accese la luce, poi alzò un braccio per bloccare Giannino, che stava per entrare.

– Ce l'hai una macchina fotografica?

– Certo, ingegnere, in auto. Vado a prenderla.

De Luca restò sulla soglia, a soffiare pennacchi di vapore umido. Chiuse gli occhi, tenendo le palpebre strette, e poi li riaprí.

Una piccola mansarda, quadrata, con la finestra chiusa sulla parete in fondo, quella stretta dallo spiovente del tetto. A sinistra un letto matrimoniale, disfatto. No, usato per dormire, un lato scoperto e un solo cuscino fuori posto, un sonno solitario. Accanto alla porta un armadio, piccolo, due ante, aperto. Sparsi sul letto, però, e sul pavimento attorno, tutti i libri, i quaderni e le carte che dovevano stare in una piccola libreria in fondo, e anche il contenuto dei cassetti dei comodini, rovesciati sul pavimento.

A sinistra.

A destra, un tavolino, la sedia dritta davanti, una macchina da scrivere, una lampada, un cestino per la carta straccia, tutto a posto. Però. Un telefono sul pavimento, il filo della cornetta lontana attorcigliato come un serpente. Contro la parete in fondo, accanto a una stufetta a carbone, un altro tavolino con un giradischi e un portadischi a soffietto. Ma tutti i dischi per terra, fuori dalle copertine di cartone, spezzati a metà.

E in tutta quella parte di stanza, sangue sul pavimento, pestato, strisciato, fino a una porticina aperta che sembrava dare su un bagno.

Giannino arrivò con il fiatone, perché aveva fatto le scale di corsa. Aveva una piccola Leica con la parabola di un flash già montata.

– Cominciamo da dove stava il corpo e poi torniamo indietro, – disse De Luca. – Occhio a non calpestare niente.

– Madonna che freddo. Umido, poi. Lei non lo sente, ingegnere?

No, non lo sentiva piú. Appena aveva acceso la luce del bagno De Luca aveva represso un brivido, ma lo sapeva che era eccitazione e non freddo. Prese un paio di foto-

grafie dalla cartellina e passò il resto a Giannino, che fece
una smorfia perché si stava infilando un paio di guanti,
con la Leica sotto braccio.

La vasca era vuota, ancora umida, e restavano tracce di
sangue sulla formica bianca del bordo. Un barattolo di sali
da bagno era capovolto sul fondo, vicino allo scarico, dove una lunga striscia di granelli lucidi convergeva verso il
buco. La tendina di stoffa era stata strappata dagli anelli
e gettata da parte, sotto il lavandino.

C'erano molte impronte stampate nel sangue sul pavimento davanti alla vasca, suole di scarpe lisce o a carro
armato, strisciate di piedi nudi, piccoli, da donna, e una,
abbastanza nitida, scalza, la parte anteriore della pianta
e le dita aperte, come schiacciate. De Luca fece cenno a
Giannino di fotografarle.

– Senza flash. C'è abbastanza luce. Cosa dice il medico legale?

– Ingegnere, – mormorò Giannino, – ho due mani sole, –
ma cominciò a leggere, *davanti a me si presenta il cadavere…*

– Solo le ferite rilevate.

– Va bene, allora… ematoma sulla parte destra della fronte, taglio sulla sinistra, naso rotto, escoriazione sullo zigomo… poi, poi… sul collo: lungo ematoma circolare, di forma
sottile, altri ematomi a chiazze. Grande ematoma davanti,
sotto il seno, *da schiacciamento*, dice. Morta per probabile
annegamento circa dodici ore prima di esser ritrovata.

De Luca immaginava. Guardò la vasca, poi le fotografie della cartellina, colori sbiaditi dalla luce artificiale del
lampadario del bagno, bianco e nero lucido per il carton-
cino da stampa.

Si avvicinò all'armadietto che stava sul lavandino e lo
aprí. Per un momento si vide riflesso nello specchio dell'anta, una striscia sottile di faccia che passava rapida e spariva.

Fece solo in tempo a notare le occhiaie e la barba che avrebbe dovuto farsi da un pezzo, prima di concentrarsi sul contenuto.

Pettine, spazzola, spazzolino, dentifricio, rasoio elettrico e colonia dopobarba. Brillantina. Collutorio. Roba da uomini. Sul bordo del lavandino una piccola borsa da toeletta. Roba da donna. De Luca prese il pettine da uomo e lo studiò in controluce: pulito ma unto. Prese un rossetto dalla trousse sul lavandino e lo aprí: rosso scuro, quasi finito.

– Ha visto qua? – disse Giannino, indicando un cesto di vimini. Sí, De Luca lo aveva visto e ci stava arrivando. Un pacchetto di preservativi Gold One, ancora chiuso, che Giannino prese, scuotendolo a mezz'aria con un sorriso divertito.

– Se hai fotografato tutto andiamo di là. Qui abbiamo finito.

De Luca uscí dal bagno, e si fermò a guardare Giannino che aveva preso la bottiglietta della brillantina, si era tolto un guanto e ne aveva versata un po' nella mano, strisciandola tra le dita. La avvicinò anche al naso, per sentirne l'odore.

Per un attimo De Luca si chiese cosa stesse facendo, poi lo vide scuotere la testa, pensoso.

– Dicono che questa Tricofilina previene la caduta dei capelli. Non so, non mi convince. Resto fedele alla Linetti, ha un profumo migliore.

A De Luca sfuggí un sorriso, e lo mantenne anche quando Giannino calpestò le macchie di sangue attorno al tavolino accanto alla porta d'ingresso, prima che lui riuscisse a fermarlo. Ma tanto le aveva già viste.

– Fotografa queste altre, dài.

Suole lisce, suole a carro armato e altre due impronte di

piedi scalzi. Una davanti al telefono appeso al muro, quasi completa, mancava solo il tallone. L'altra sotto il tavolino, tutta, dall'alluce al calcagno, ma piegata su un fianco, la linea rossa che si interrompeva sotto l'arco della pianta. Piedi di donna.

De Luca si chinò sulla macchina da scrivere, una piccola Remington portatile, nera, cosí vicino che sembrava volesse sentirne l'odore. Aprí il cassetto del tavolino, carta da lettere e buste intestate «Mario Cresca», semplicemente, senza titoli, solo l'indirizzo, «via Oberdan 18», non quello del trappolone. Sottosopra, però, come se ci avesse rovistato dentro una mano.

Insanguinata.

Guardò nel cestino della carta che stava quasi sotto il tavolino. Era vuoto, a parte l'angolo strappato di una busta color avorio dello stesso tipo di quelle nel cassetto. La prese, notò la sfumatura rossastra che aveva sul lato, sangue assorbito dalla carta, e le tre lettere maiuscole che c'erano sopra, rosse anche quelle, ma di inchiostro per macchina da scrivere.

DOTT, con la *t* finale spezzata a metà dallo strappo.

Poi si piegò sulle ginocchia e rimase un po' a fissare il telefono sul pavimento, un grosso apparecchio di bachelite nera. Prese la cornetta, soffiò via la polvere bianca per rilevare le impronte digitali che ci stava depositata sopra, e la osservò a lungo.

– C'è l'elenco dei reperti consegnati alla Scientifica? – chiese.

Giannino sfogliò i documenti nella cartellina, con difficoltà perché si era rimesso il guanto. C'era.

– Capelli?

– Sí. Tre. Lunghi e rossi. Appiccicati dal sangue sulla cornetta del telefono, – la indicò.

De Luca annuí. – Altro?

– Un accappatoio da uomo, cifrato «MR» sul taschino, umido e sporco di sangue. Poi basta.

De Luca sospirò. Aveva fatto bene a non leggere prima il rapporto del commissario della Mobile, e lo disse.

– Perché?

– Il collega D'Orrico è un tipo che lavora un tanto al chilo –. Ex collega. – Ha rilevato le impronte solo sul telefono e non sul resto. E c'erano anche un sacco di altre cose per la Scientifica. Per esempio questo, – mostrò il pezzo di busta preso dal cestino, – e questo, – indicò la macchina da scrivere, la levetta che sbloccava il foglio, sulla sinistra e poi anche la barra spaziatrice. – Ci sono schizzi di sangue dappertutto, ma queste no, queste sono impronte. E se ci fai caso ce n'è una anche qui, sul tasto della *s*. Lascia stare che sono illeggibili, significa che qualcuno si è seduto e si è messo a scrivere. Guarda la sedia com'è dritta: qui c'è stata una colluttazione, avrebbe dovuto essersi rovesciata. E...

De Luca si interruppe. Immaginava.

Ma corrugò la fronte.

– Non è per difendere quella fava della Mobile, – disse Giannino, – ma se le impronte sono illeggibili perché sequestrare la Remington?

– Non la macchina. Questo. È abbastanza nuovo e magari salta fuori qualcosa –. De Luca sganciò le levette che bloccavano le rotelline del nastro e le tirò fuori, arrotolandolo. Se le mise in tasca.

– Be', certo, il telefono è importante, – prese la cornetta insanguinata, – hanno colpito la signora con questa, e prima o dopo hanno provato a strangolarla, – tirò il filo stretto tra i pugni chiusi, stava per aggiungere *direi dopo*, viste le impronte sul sangue per terra ma si fermò, perché immaginava.

Di nuovo corrugò la fronte.

– Poi gli hanno infilato la testa nella vasca da bagno e l'hanno annegata, – disse Giannino, annuendo deciso. – Almeno due persone, a giudicare dalle impronte delle scarpe. È giusto, ingegnere?

– Tre, se aggiungiamo le tue, – disse De Luca. Si era alzato e si era avvicinato all'armadio, restando a fissarlo con le braccia conserte. – Quelle suole a carro armato mi sembrano proprio gli scarponcini delle volanti. Il collega ha lasciato camminare dovunque –. Ex collega.

Per terra, davanti all'armadio, un paio di scarpe da donna, rosse, numero 39. – Bel piede la signora Cresca, – aveva detto Giannino. – E bel gusto, – aveva aggiunto, notando la marca.

Nell'armadio una giacca da camera cifrata «MR», un paio di pantaloni sportivi, un maglione, mutande e calzini da uomo.

De Luca smise di immaginare. Corrugò la fronte ancora di piú, se possibile.

– E questo troiaio qua l'hanno fatto i colleghi? – disse Giannino, indicando i dischi rotti. – Dio bonino, guardi... Billie Holiday, Etta James...

– No, – disse De Luca, soprappensiero, – sta già nelle fotografie, – mentre Giannino continuava, *Duke Ellington*, *Lionel Hampton*...

– Si è salvato solo questo, è l'ultimo di Lena Horne, in Italia non c'è ancora, che dice, ingegnere, importa a qualcuno se me lo frego?

Ma De Luca non lo stava ascoltando.

Scuoteva la testa, tra sé, e pensava: *Niente*.

Non torna niente.

Non aveva fiducia nel lavoro dell'ex collega ma non poteva bussare a tutte le porte del caseggiato per parlare con i vicini, anche se Giannino aveva comunque un tesserino da poliziotto, perché non voleva dare nell'occhio. Però qualcosa da approfondire c'era.

Perché nel rapporto della Mobile le dichiarazioni delle quattro famiglie che abitavano nei due piani sotto la mansarda dicevano piú o meno le stesse cose: nessuno si era accorto di niente, di giorno erano tutti fuori a lavorare e la sera aveva piovuto di brutto, con un vento gelido da bufera. Solo la signora del piano subito sotto aveva sentito qualcosa, verso l'ora di cena, ma non ci aveva fatto caso. Ma siccome era anche la persona che aveva chiamato la polizia forse era meglio farci almeno quattro chiacchiere.

Era stato Giannino ad avere l'idea.

– Diciamo che siamo giornalisti, ingegnere. Del «Resto del Carlino». Sicuro che funziona.

Aveva funzionato, infatti, anche se in un primo momento la signora Maria era rimasta perplessa, sulla porta, poi aveva sorriso al sorriso di Giannino e li aveva fatti entrare, e quando lui aveva notato «Bolero» sul tavolo del tinello, e aveva cominciato a parlare di Ruggero e Silvia, *Sarà un vero addio*, e come viene bene la Sereni nei fotoromanzi, la signora li aveva anche fatti sedere.

– Caffè o vermuttino?

– Sí, – aveva detto De Luca di slancio, – caffè, grazie, – e Giannino aveva annuito, anche se avrebbe preferito il vermut.

Non era un appartamento molto grande ma era caldo, c'era una stufa nell'angolo della stanza, e accanto, seduto per terra, c'era un bambino con i calzoncini corti, le ginocchia rosse per i geloni, si accorsero di lui perché tossí. Teneva un quaderno sulle gambe incrociate e ci disegnava sopra con un lapis.

– Ciao, come ti chiami? – chiese Giannino, ma la signora Maria aveva cominciato a parlare dalla cucina, mentre
ancora metteva la moka sul fornello.

– Non lo scrivete mica il mio nome, vero?

– No, signora, stia tranquilla.

– Ah, perché la polizia mi aveva detto di non parlare
con nessuno. E poi non voglio mica che mi vengano a cercare, loro là son capaci di tutto.

– Loro? Loro chi?

– Quei negri.

Giannino guardò De Luca. Stava per chiedere qualcosa
ma non ce ne fu bisogno.

– Oh, per carità, io lo capisco che uno è giovane, pieno
di soldi, anche bellino... però.

Uscí dalla cucina, si era tolta il grembiule e si stava ag-
giustando i capelli raccolti sulla nuca quando si accorse del
bambino e batté insieme le mani.

– Albertino! È freddo per terra! Vai sul letto a fare i
compiti!

– Però cosa? – chiese De Luca.

– Però niente, per carità, ormai siam moderni... – indicò il soffitto con la punta di un dito, abbassando la voce. – C'era un viavai di donne... sentivano i dischi tutto
il giorno, oddio, mi piace anche a me la musica, – sorrise
a Giannino, – però quella roba lí, come si chiama, *e' giazz*,
dice mio marito, il ghiaccio, – Giannino rise con lei, – che
a me non mi piace mica tanto... io, lo vuol sapere chi mi
fa diventare matta? Claudio Villa.

Dalla cucina arrivò il gorgoglio del caffè che saliva. La
signora Maria disse *con permesso* e De Luca sospirò di impazienza, ma quando lei tornò con il vassoio in mano per
un momento la voglia di caffè oscurò tutto il resto.

– Quanto zucchero? – chiese.

– Uno, – rispose De Luca.

– Tre, – fece Giannino.

– Cosí tanto? Cos'ha, bisogno d'affetto? Un bel giova-
notto come lei non ce l'ha la fidanzata? Albertino!
Il bambino non si era mosso dal pavimento. Si alzò, e
invece di uscire dalla stanza si avvicinò al tavolo. Si mise
in un angolo, in ginocchio su una sedia, e riprese a disegnare. Sulla pagina a quadretti grandi aveva tratteggiato
una figura umana, lunga e grossa, con un testone.

– Cos'è? – chiese Giannino. – Un orco? Un diavolo?

– Albertino! La maestra ti ha detto di non disegnarle
piú, quelle cose! È un bambino bravo ma un po' timido,
sta facendo la prima con una fatica...

– Va bene, – disse De Luca, – il professor Cresca rice-
veva qualche donna, sentiva i dischi... e i negri?

– Faceva festa con i suoi amici musicisti, bevevano,
suonavano e c'erano anche dei negri, qualche volta, – lo
disse abbassando la voce, annuendo seria. – Io non ne ho
mai visti, ne ha visto uno la signora di sotto, un negrone
grande, sa cosa dice mio marito? Che quelli fumano certe sigarette drogate e poi... – fece un gesto con la mano,
a mezz'aria, incomprensibile ma minaccioso. – Io gliel'ho
già detto alla polizia, per me è stato uno di loro. Ma non
scriva il mio nome sul giornale, per carità.

De Luca sospirò. Finí il caffè in fretta e rinunciò allo
zucchero sul fondo.

– Ci racconti di quando ha chiamato la polizia, per favore.

La signora Maria agitò le mani, *Per carità non mi ci fate
pensare*, poi tirò una sedia e si accomodò davanti a loro, le
braccia sul tavolo, rivolta a Giannino.

– Allora, la signora mi aveva detto di portare il bucato
non prima delle dieci...

– La signora Cresca?

– Sí, la moglie del professore. Si figuri che non sapevamo neanche che fosse sposato, lo abbiamo imparato dalla mortina sul «Carlino», quando ha avuto l'incidente, poveretto, – si fece il segno della croce, rapida, e si baciò la nocca dell'indice.

– Non l'aveva mai vista prima, qui, alla mansarda?

– No, mai. Era la prima volta. Si figuri che credevo che quella un po' piú fissa delle altre era quella là, Faccetta Nera.

– Faccetta Nera?

– La chiama cosí mio marito, che ha fatto la guerra in Africa e dice che deve essere abissina, meticcia comunque, perché non è cosí scura. Ecco, lei veniva un po' piú spesso. Ma la moglie mai. Oddio, era un trappolone, no? Mica ci vanno le mogli, nei trappoloni, no? – e rise, con Giannino, mentre De Luca sospirava.

– Continui, per favore.

– Allora, mercoledí, saranno state le undici, di mattina dico, ero a lavare i panni, perché faccio la lavanderina qui davanti, – indicò la porta d'ingresso, in direzione del canale Reno che stava fuori, davanti alla strada, – si figuri, con questo freddo, ma vogliamo cambiar casa, mio marito fa gli straordinari apposta, sentite che umidità, il bambino ha sempre la tosse, – allungò una mano e accarezzò rapida la testa di Albertino, curvo a disegnare, – comunque sono lí che lavo quando arriva questa bella donna, una rossa alta, elegante, un po' forte di naso però bella, cosa andava a cercare in giro lui là io proprio non lo capisco, con una moglie cosí –. Giannino colse l'impazienza di De Luca con la coda dell'occhio e disse *E quindi?*

– Quindi mi ha chiesto se potevo lavarle dei panni, cosí sono andata su e mi ha dato della biancheria da letto, federe, lenzuola, e asciugamani, anche...

– Vestiti? – chiese De Luca.

– No, solo roba da letto e da bagno. Bella roba, tutta con le iniziali. Comunque ho fatto il bucato, ho messo a stendere, ho stirato, poi ieri mattina gliel'ho portato su. Non prima delle dieci, si era raccomandata, perché una cosí dorme fino a tardi, mica come noi poveri tribolini. Si figuri che mi aveva anche chiesto di andargli a fare le pulizie, ogni tanto, peccato, facevan comodo quei soldi lí.

Scosse la testa, e anche Giannino, che disse *Peccato* e subito aggiunse *E quindi?*

– Quindi ho visto che c'era la porta socchiusa, ho bussato, ho chiamato, non rispondeva nessuno, poi ho visto tutto quel macello, la roba per terra, ho pensato ai ladri, mi sono presa paura e sono andata a svegliare mio marito che aveva fatto il turno di notte e lui sí, era giusto che dormiva. Claudio è andato su, è tornato giú subito, ha detto che aveva visto una cosa brutta nel bagno ed è sceso al bar per telefonare alla polizia.

– Quindi lei non ha visto niente, – disse De Luca.

– Per l'amor di Dio mi veniva un colpo e mi trovavano morta stecchita per terra. E fortuna che Albertino, quando è salito su a fare la pipí prima di andare a scuola, perché con rispetto parlando il gabinetto del nostro pianerottolo è otturato e usiamo quello del piano di sopra, Albertino non vuole piú il vasino, insomma per fortuna che non l'ha vista lui, la porta aperta, se no se entrava... mio marito ha detto che c'era una schiena bianca bianca, – la signora Maria rabbrividí, *Non ci voglio neanche pensare.*

De Luca prese la tazzina di caffè e grattò il fondo di zucchero con la punta del cucchiaino. – Un'ultima cosa... ha detto che la sera prima ha sentito un po' di confusione, al piano di sopra.

La signora Maria si strinse nelle spalle.

– Pioveva, tirava vento e io avevo la radio accesa, sa, la Flo Sandon's e Natalino Otto, – disse a Giannino, che annuí. – E poi eravamo cosí abituati al baccano quando c'era il professore che non ci ho fatto troppo caso.

– A che ora?

– Saranno state le otto, anche le otto e mezzo. Avevo fatto tardi con la cena di Albertino, gli stavo dando da mangiare.

– E cosa...

– Passatelli. Con un brodo forte. Sa, – a Giannino, – per la tosse.

– Intendevo cosa ha sentito, precisamente.

– Precisamente niente, gliel'ho detto. Un mezzo grido, qualche pestata, – indicò il soffitto, – ma leggera. Lí per lí ho pensato che ballasse, sarà stato perché sentivo *La samba dell'uccellino* e avevo anch'io una voglia di andare a ballare, non mi ricordo neanche piú come si fa.

De Luca si alzò, brusco.

– Grazie, signora, – disse, – togliamo il disturbo.

La signora Maria guardò Giannino delusa e lui allargò le braccia.

– L'ha detto lei, siamo tutti dei poveri tribolini, il lavoro ci chiama.

– Un momento –. De Luca era già quasi sulla soglia dell'appartamento quando si fermò. Gli era venuta in mente una cosa, e si stupí che non fosse accaduto prima. Forse era stata la signora Maria a stordirlo, con le sue chiacchiere.

– Albertino va a fare i suoi bisogni nel bagno comune, di sopra, giusto? Li fa anche la sera, prima di andare a dormire?

– Sí, – disse la signora Maria.

– Anche quella sera?

– Ma certo, gli faccio fare la pipí prima di andare a nanna, se no... oh mio Dio! – si mise una mano sulle labbra, e stava per parlare ancora ma De Luca la fermò alzando la sua con tanta decisione che la signora rimase a bocca aperta.

– Albertino, – chiese, – hai sentito o visto qualcosa quando sei andato al gabinetto di sopra?

Albertino annuí.

– Oh mio Dio! – disse la signora e questa volta fu Giannino a fermarla prendendole un braccio, senza molta cortesia.

– Hai sentito qualcosa? – chiese De Luca, ma Albertino scosse la testa. – No.

– Sei entrato nell'appartamento e hai visto qualcosa lí? – chiese Giannino, e Albertino la scosse ancora.

– Allora hai visto qualcuno, – disse De Luca e questa volta Albertino annuí. Spinse avanti il quaderno.

– Faccia di Mostro, – disse, la voce arrochita dal silenzio. – È uscito dalla casa di quella signora.

– Non torna niente.

– Perché dice cosí, ingegnere? Abbiamo anche l'identikit dell'assassino. Non li mangia i tortellini? Guardi che se si freddano è un peccato.

De Luca fissò il piatto che aveva davanti. Appena il cameriere glielo aveva messo sotto il naso l'odore caldo di brodo e pasta fresca gli aveva contratto lo stomaco in un gorgoglio di fame vecchia e vorace, ma dopo la seconda cucchiaiata si era già distratto a guardare il disegno che teneva accanto al piatto, al posto del tovagliolo.

Albertino doveva avere un certo talento, perché nonostante la sproporzione tra la testa e il corpo, che faceva comunque pensare a un uomo grande e grosso, il volto era tratteggiato minuziosamente e si capiva che quell'occhio piú basso dell'altro corrispondeva alla realtà.

Grande e grosso, volto obliquo, capelli biondi e radi, dettagli aggiunti dal bambino che nascosto dietro la porta socchiusa del gabinetto aveva visto Faccia di Mostro uscire dalla mansarda e da allora non l'aveva dimenticato piú. Sí, aveva un certo talento, Albertino. E anche il senso degli affari: aveva voluto cinquanta lire per lasciargli il disegno.

– Non li mangia proprio, ingegnere? È un peccato, davvero. Posso?

De Luca annuí distratto, e Giannino si allungò sul tavolo a prendere la scodella quasi piena, che appoggiò sulla sua vuota.

– Non dovrei, perché sto cominciando a mettere su qualche chilo, però, come si fa? Dicono che i tortellini del *Diana* sono i migliori di tutta Bologna... e poi abbiamo saltato il pranzo, no?

– Facciamo un riassunto? – disse De Luca, e Giannino si bloccò con ancora il cucchiaio a mezz'aria.

– In che senso?

– Sabato sera, tra le otto e le otto e mezzo, questo signore qui, – De Luca alzò il disegno di Albertino, – entra nella mansarda e uccide la signora Cresca.

Giannino annuí, con la bocca piena.

– Gli apre lei.

Giannino smise di annuire, perplesso.

– Non c'erano segni di scasso sulla porta. A parte che stava scritto sul rapporto della Mobile, quando l'hai aperta col grimaldello ne hai notati?

Giannino scosse la testa.

– Allora o Faccia di Mostro ha una chiave sua o bussa e lo fa entrare lei. In accappatoio. Perché aveva fatto o stava facendo il bagno, la signora. L'hanno annegata nella vasca, va bene, ma non è che l'hanno riempita apposta, no?

– No, – disse Giannino. – Mi sta facendo passare l'appetito, ingegnere. Magari sono amanti, sa come si dice, non

è bello quel che è bello ma è bello quel che piace, giusto?
Anche uno cosí, – accennò al disegno con la punta del
cucchiaio e De Luca si strinse nelle spalle.
  – Tutto è possibile. Lei lo fa entrare o lui ha una chiave sua, va bene. Succede qualcosa e lui la aggredisce. La
colpisce con la cornetta del telefono, le fa un taglio sulla
testa, le rompe il naso e lei sanguina parecchio. La strozza
con il filo del telefono.
  Giannino aveva ricominciato a mangiare. Annuiva vi-
gorosamente, un cucchiaio di tortellini dietro l'altro, risucchiando il brodo.
  – Poi però, all'improvviso, smette.
  Smise anche Giannino, di mangiare. Appoggiò il cucchiaio sul piatto, pulendosi la bocca col tovagliolo.
  – Perché smette?
  – Perché c'è un'impronta sotto il tavolino con la macchina da scrivere che è quella di una persona che si è seduta. E siccome è l'impronta di un piede nudo piccolo è
della signora Cresca. Che dopo essere stata picchiata col
telefono, perché è tutta insanguinata, si siede alla macchina e scrive –. De Luca mosse le dita come su una tastiera.
  – L'ha costretta lui, – disse Giannino.
  – Ah sí? E perché? Mica si riconosce la calligrafia, se
deve scrivere qualcosa con quella macchina può farlo lui.
Comunque, a un certo punto Faccia di Mostro le infila la
testa nella vasca da bagno e l'annega. Poi perquisisce gli
scaffali buttando la roba sul letto, rompe tutti i dischi di
jazz e se ne va rubando i vestiti della signora.
  – I vestiti?
  – Tu ne hai visti? C'erano solo le scarpe. A meno che la
Cresca non sia andata alla mansarda nuda, ma non credo,
non fosse altro che per il freddo, allora qualcuno deve essersi portato via i suoi vestiti. Te l'ho detto, non torna niente.

Per terra, sul pavimento sotto il tavolo, c'era la cartellina color panna della questura. De Luca la prese e sfogliò i documenti con la punta di un dito, aprendola appena, perché cercava la fotografia della signora Cresca stesa supina sul pavimento del bagno, gonfia e nuda. La trovò, ed era cosí concentrato a studiarla che si dimenticò di tutto il resto, e fu Giannino a sporgersi sul tavolo per chiudergli le ante della cartellina, adesso troppo aperte.

– Ingegnere, per favore... c'è gente che mangia.

Anche se era soltanto un lunedí il locale era quasi pieno, cosí sotto le feste, decorato di lustrini argentati e illuminatissimo. C'era un albero di Natale davanti allo specchio che occupava tutta la parete, in fondo, e un brusio eccitato che riempiva la lunga sala del ristorante.

Appena erano usciti dal palazzo di via Riva di Reno Giannino aveva detto che sentir parlare di passatelli dalla mamma di Albertino gli aveva fatto venir fame, e visto che era ormai ora di cena e che la nota spese, con l'arrivo di De Luca, si era fatta piú robusta, potevano anche permettersi un ristorante di lusso come il *Diana, No ingegnere?*

Giannino fece un cenno a un cameriere in giacca bianca che aspettava appoggiato allo stipite della porta che dava sulla cucina, con le braccia conserte.

– Un giro col carrello dei bolliti, ingegnere? Si è fatto trenta, facciamo trentuno.

De Luca scosse la testa, ma poi lo lasciò ordinare anche per lui, scegliendo i vari pezzi che il cameriere tagliava con un largo coltello affilato, mentre annuivano convinti tutti e due, il cameriere e Giannino.

De Luca assaggiò soltanto un pezzo di manzo e mezzo cubetto di crema fritta che Giannino aveva insistito prendesse, poi appoggiò le posate su un lato del piatto, come per dire che aveva finito, e afferrò la cartellina.

– Ma che fa lei, ingegnere, vive d'aria e lavoro? E fortuna che gliel'hanno già fatta, l'autopsia, alla signora, se no si faceva portare anche lí, vero? Guardi che siamo ancora in tempo per darci un'occhiata, la seppelliscono domani mattina. Ohé, sto scherzando, non si faccia venire delle idee.

De Luca sospirò, chiudendo gli occhi per un momento.

– Senti, Giannino, quanti anni hai?

– Ventidue, ingegnere.

– Ecco, io piú o meno quaranta. E da quanto tempo fai questo lavoro?

– Quale? Quello del poliziotto? – si strinse nelle spalle, – ho cominciato oggi. Se invece intende quello della spia, – lo sussurrò senza voce, componendolo solo con le labbra, esagerando apposta, – da piú tempo di lei, credo –. Poi aggiunse *Ingegnere*, ricominciando a sorridere perché prima, per un attimo, aveva smesso.

De Luca annuí.

– Allora mettiamo in chiaro un paio di cose. In ogni caso, in questa indagine io sono il capo e tu l'assistente. Si fa a modo mio, con i tempi miei e i miei ritmi, come voglio io.

– Ma certo, ingegnere.

– Seconda cosa, smettila di ripetere ingegnere tutte le volte. Lo dici a ogni frase, è irritante.

– Va bene, – disse Giannino, e si fermò lí.

– Invece su questa, – De Luca sventolò la cartellina, – hai ragione. È inutile insistere, ormai la so a memoria. Facciamo meglio a rilassarci.

Si versò un bicchiere di vino e prima ne versò uno anche a Giannino, che ringraziò con un cenno del capo. Poi prese il suo piatto di bollito e glielo porse, strappandogli una risata.

– Ce l'hai l'occorrente per sviluppare le fotografie?

– Non aveva detto che dovevamo rilassarci? Ce l'ho in ufficio.

– Possiamo andarci adesso? Cioè, dopo, quando abbiamo finito qui.

– Io sí ma lei no. È in incognito anche per noi, ricorda? Gliele porto alla pensione domani mattina.

– Domani mattina andiamo al funerale a fare un po' di domande ad amici e parenti della signora Stefania. Che qualche giorno fa se ne va a stare nel trappolone del marito playboy, dove non era mai andata prima, portandosi dietro soltanto una borsetta con lo stretto necessario. Vorrei capire perché.

– Va bene.

– Vorrei anche sapere se la signora ha telefonato a qualcuno, in questi giorni. Nelle carte della Mobile non ho visto la richiesta dei tabulati, puoi procurarteli?

– Va bene.

– Stasera, però, vorrei vedere le fotografie che ti ho fatto scattare. Soffro d'insonnia e mi annoio, senza far niente. Tu sali in ufficio, io ti aspetto giú in macchina.

– Va bene.

Giannino si abbandonò contro lo schienale della sedia e si allentò il nodo della cravatta, allargandosi il colletto della camicia.

– Se lo fa un dolcino con me, ingegnere? O preferisce un caffè?

– Sí, – disse De Luca, – sí, un caffè.

Era vero che soffriva d'insonnia. Negli ultimi tempi non era mai riuscito ad addormentarsi prima delle due, per poi svegliarsi presto dopo un sonno malato e intermittente, che quando non lavorava continuava fino quasi a metà mattina. E non era capitato molto spesso, che dovesse lavorare.

Cinque anni prima lo avevano messo in aspettativa in vista del processo. Il giudice istruttore che lo aveva interrogato aveva sul tavolo «l'Unità» del 15 luglio 1948, aperta sulla seconda pagina dove campeggiava CHI È IL COMMISSARIO DE LUCA, tutto maiuscolo, sopra la sua foto con le mani nelle tasche del soprabito e la camicia nera, e anche il «Giornale dell'Emilia», cronaca di Bologna, «Funzionario di polizia sfuggito all'epurazione», piú piccolo ma in grassetto.

Davanti, aperto, il suo fascicolo, con la scheda arancione che avrebbe dovuto riassumere tutta la sua carriera in polizia sotto il fascismo, ma a cui mancavano le risposte relative all'ultimo periodo, quello repubblichino.

E in cima al fascicolo, un foglietto rigido, ricavato dal retro di una carta annonaria, intestato: «Comitato di liberazione nazionale», e fitto di righe battute a macchina con forza, che De Luca aveva cercato di non guardare, come se avesse potuto fargli male.

Aveva fatto praticamente scena muta, su consiglio del suo avvocato, un signore allampanato e dalle guance flosce che aveva conosciuto solo qualche giorno prima, inviatogli non sapeva neanche da chi. A lui aveva cercato di spiegare tutto, che non era mai stato veramente fascista, cioè, lo era stato come tutti, come tanti, almeno, che era soltanto un poliziotto, uno bravo, *Il piú brillante investigatore della polizia italiana*, come lo avevano chiamato una volta, risolveva tutti i casi, metteva in galera tutti gli assassini, poi c'era stata la guerra, l'8 settembre, la Repubblica di Salò e aveva ricominciato a fare il suo mestiere, perché lui era quello, e quello soltanto, un poliziotto.

Un poliziotto.

L'avvocato teneva tra le dita una copia del rapporto del Cln sulle attività dell'Ufficio di polizia politica dove De Luca aveva servito, trascritto su un foglio bianco dalla carta annonaria riciclata dell'originale, ma sempre fitto di righe battute a macchina, e siccome leggendolo aveva corrugato la fronte stempiata De Luca aveva smesso di raccontare, quasi senza fiato, e aveva iniziato *Guardi che di quello che c'è scritto lí io davvero mai*, ma l'avvocato lo aveva zittito alzando una mano.

Gli aveva detto di rispondere soltanto *No*, all'interrogatorio col giudice istruttore, a ogni domanda, nessuna esclusa, e lui cosí aveva fatto.

Nei giorni successivi, nelle settimane che erano venute dopo, De Luca era rimasto ad aspettare, senza fare niente, praticamente recluso nel suo alloggio nell'ala dei funzionari della caserma di Ps, a Nettuno.

Aspettava, steso sulla sua branda, supino, con le mani intrecciate dietro la nuca, quasi sempre vestito, come se dovesse essere convocato, di piú, arrestato, da un momento all'altro.

Aspettava.

Ma non successe nulla.

Il giudice non lo convocò piú, non si parlò piú del processo, neanche l'avvocato lo rivide mai. De Luca, da parte sua, non chiese niente.

Non l'avevano mai sospeso dal servizio, rientrò dall'aspettativa e lo lasciarono un altro po' in caserma, a non fare niente. Ogni tanto lo aggregavano a qualche posto di polizia di frontiera a sostituire qualcuno, sempre in ufficio. Per un anno lo tennero alla scuola allievi guardie di Ps a fare istruzione alle reclute, poi il figlio di un partigiano fucilato a Parma lo riconobbe e di nuovo tornò nel limbo della caserma, a non fare nulla, spedito ogni tanto in qualche ufficio sperduto a fare poco di piú.

Poi, un giorno, lo avevano convocato a Roma, all'Ufficio affari riservati, da dove lo avevano mandato a un'altra sede del Servizio di informazioni civile, poi a un'altra e poi a un'altra ancora, che aveva sulla porta l'insegna di un import-export, dove aveva conosciuto il commendator D'Umberto, i suoi occhiali grandi, il gilet aperto sulla pancia rotonda e la sua voce grassa, *Vedi De Luca, per fare lo sbirro ci vuole un cuore di cane.*

Di quale servizio fosse il direttore, esattamente, non lo aveva capito, lui non lo disse e De Luca non lo chiese. Ma quando gli propose di collaborare con loro, in incognito, senza credenziali ufficiali e sotto copertura, per risolvere un caso d'omicidio, De Luca disse *Sí*, e lo ripeté, *Sí*, con la testa e con la voce.

Adesso era lí, seduto sul bordo del letto nella camera della pensioncina del centro in cui lo avevano alloggiato, a far passare il nastro della macchina da scrivere sulla luce dell'abat-jour del comodino, le dita strette ai lati per tenerlo teso e gli occhi socchiusi per metterlo a fuoco meglio.

Trovò soltanto alcune lettere nitide, pestate con forza sulla banda rossa del nastro, quella meno usata, appunto, perché anche se abbastanza nuova la banda nera era piú confusa. Poche lettere, in maiuscolo: DOTT. PIRRO ORES.

Avrebbero potuto essere state scritte da chiunque e in qualunque momento, ma De Luca le confrontò con quelle stampate sul pezzo di busta insanguinata, impresse con la stessa forza, e in rosso, e questo significava che i tasti erano stati battuti proprio quel giorno, dalle dita sporche di sangue di Stefania Cresca seduta al tavolino.

Le annotò su un foglietto, segnandosi mentalmente di chiedere a Giannino di fare un controllo. Poi si mise a fissare le fotografie che si era fatto stampare e che aveva steso sul pavimento, attorno al disegno di Faccia di Mostro, sfregandosi le mani sulle braccia perché nella stanza c'era una stufa ma non l'aveva accesa, e faceva freddo.

Aveva sofferto di insonnia praticamente per tutti quei cinque anni, ma adesso, appena si infilò sotto le coperte, mezzo vestito, giusto per riscaldarsi un po', si addormentò di colpo e dormí fino alla mattina dopo, come un bambino.

22 dicembre 1953, martedí

La mattina dopo Bologna era coperta da una coltre di neve cosí densa e gonfia che sembrava panna montata. Era caduta durante la notte, silenziosa, e De Luca se ne accorse soltanto quando uscí nella stradina che il portiere aveva appena finito di spalare, davanti all'ingresso della pensione.

Giannino lo aspettava con la macchina in moto poco piú avanti, quasi in mezzo alla via, perché le sponde della neve correvano lungo i portici arrotondate come onde, e impedivano di avvicinarsi per parcheggiare.

Nell'Aurelia c'era il riscaldamento acceso, ma De Luca si era lavato con l'acqua gelida del catino che aveva in camera e rannicchiarsi nell'angolo del sedile, e anche stringersi addosso il soprabito, non bastava. Pensò che avrebbe dovuto procurarsi qualcosa di piú pesante, e magari anche una sciarpa, come Giannino, che aveva sostituito l'impermeabile imbottito con un cappotto color cammello, in tinta con la sciarpa cachemire che teneva annodata attorno al collo, come un foulard, infilata in un maglione a v. Per il resto sempre uguale, i capelli con la brillantina spartiti dalla riga e il sorriso da pubblicità.

Non era stato facile uscire da Bologna, gli spalatori del Comune non avevano ancora liberato le strade e c'erano parecchi tram fermi sui binari intasati che Giannino aveva dovuto aggirare. Fuori dalle mura era stato piú semplice, anche se non piú veloce, e si vedeva che Giannino soffriva a trattenere l'auto perché non scivolasse via.

Da quando erano partiti non era mai stato zitto un momento. De Luca era riuscito a sopportarlo un po' perché cominciava a farci l'abitudine e un po' perché gli aveva portato i tabulati con i numeri telefonici chiamati dalla mansarda di via Riva di Reno negli ultimi giorni. In realtà il commissario della Mobile li aveva richiesti subito, anche se non erano nella cartellina color panna e Giannino aveva fatto presto a procurarseli.

Il giorno dell'omicidio, e nei due precedenti, c'erano state sei chiamate effettuate e tre ricevute. Tutte verso e dallo stesso numero. Intestato a una farmacia di via Galliera, a Bologna.

– Tieni, – disse De Luca tirando fuori dalla tasca il fogliettino su cui aveva annotato le lettere impresse sul nastro della macchina da scrivere. – Riesci a scoprire se esiste un dottor Pirro da qualche parte? Pirro Ores, nome o cognome, ma potrebbe anche essere Oreste, interrotto prima.

Giannino fece una smorfia. – Sarebbe d'aiuto sapere di che dottore si tratta, ingegnere. In Medicina? In Lettere? In Filosofia? Dicono che a Roma un dottore non si nega a nessuno, si figuri a Bologna, dove li fanno da quasi novecento anni.

– Sí, ma non dico solo a Bologna. Dovunque.

Giannino prese l'appunto e se lo infilò in tasca.

– Dottor Pirro Ores, in Italia e nel resto del mondo, dovunque. Va bene, ingegnere, ci vorrà un po', ma ci provo.

Ci misero un'ora e mezzo per percorrere la sessantina di chilometri che portava a Bondeno e quando ci arrivarono il funerale era quasi finito, ma c'era una specie di ricevimento nella villa della madre di Stefania, riservato a parenti e amici. L'idea era quella di presentarsi come amici, appunto, e lo fecero, generici e anche lontani conoscenti di Stefania o del professore, a seconda delle esigenze, ma non serví a molto perché l'ambiente era cosí chiuso che neppure gli sforzi di Giannino di fare il simpatico riuscirono a strappare piú di qualche frase di circostanza.

Poi De Luca la vide.

Aggrappata al braccio di un piccoletto calvo con una gran pancia, e anche lei aveva messo su qualche chilo dall'ultima volta che l'aveva vista, ma non stava male, tutta in nero, dal cappellino agli stivaletti, compreso il fazzoletto di pizzo con cui si asciugava le guance. De Luca la indicò a Giannino con un cenno del mento, e quando lei si staccò dal piccoletto lui le si avvicinò discretamente, le sussurrò *Ciao, Wanda*, e fu sicuro di averla vista impallidire, anche dietro la veletta.

Era cosí abituata a fingere l'accento di Ferrara che ormai le veniva naturale raddoppiare le *l* per farci scivolare sopra la lingua, anche se era di un paesino vicino a Salerno e non si chiamava Wanda ma Concetta. Ma era lei che trovavano i clienti quando i bordelli di via delle Oche o di via Bertiera appendevano sulla porta il cartello: «Abbiamo la Ferrarese». Quando dirigeva la Buoncostume di Bologna De Luca aveva cercato piú volte di capire perché le ragazze di Ferrara fossero cosí famose, ma non c'era mai riuscito.

Seduta sul sedile a divanetto dell'Aurelia tra De Luca e Giannino, Wanda aveva accavallato le gambe, la sottana sollevata fino a metà delle cosce e la punta di un dito che seguiva la curva di un ginocchio, strisciando lento sulla trama della calza scura, ma anche quella era soltanto un'abitudine. Parlava senza fretta e senza emozione, come se pensasse ad altro, lo sguardo distratto sulla neve oltre il parabrezza. Era cosí che faceva le sue confidenze ai questurini, la Wanda, e infatti aveva chiamato De Luca *signor commissario*.

– Arrogante, antipatica e con una gran puzza sotto il naso. Mario l'ha sposata solo perché era rimasta incinta mentre erano fidanzati. Diciannove anni aveva, la ragazza, lui credo ventidue o ventitre. A parte che non era il tipo da fregarsene, è stato costretto anche perché il padre di lei, che allora era ancora vivo, è morto alla fine della guerra, era un pezzo grosso che gli aveva fatto saltare il militare per via dell'università, e quando le cose hanno cominciato a mettersi male per tutti l'ha imboscato in Svizzera, dove si è preso la laurea. Era un gran professorone, Mario, lo sapete, no?

Wanda accavallò le gambe nell'altro senso e ricominciò a disegnarsi il ginocchio, con la punta del medio questa volta.

– Sí, sí, Stefania, certo. Non c'è molto da dire, viene da parlare piú di Mario che di lei. Lui simpatico, lei no, lui colto, lei no, lui molto attivo, pieno di interessi, lei no. Gelosa come una scimmia, ma mica solo delle amanti, che poi non erano cosí tante, era piú una posa, una cosa che te la aspettavi da uno cosí, lo so perché quando ho smesso di lavorare e ho cercato qualcuno per sistemarmi ci ho provato prima con Mario, avevamo degli amici in comune, ma mi ha fatto capire che no, grazie. Però è stato lui che mi ha presentata a Pucci, mio marito, il commendator Raggi, che sarebbe poi un cugino di Stefania. Non me lo dimenticherò mai, davvero. Accidenti a quel giorno che si è… li ha visti i fiori sulla strada, venendo in qua, un po' prima di Malalbergo? No, forse no, con la neve.

Wanda tirò su col naso. Lanciò un'occhiata verso la porta della villa mormorando *Ancora un minuto e rientro*.

– Nemici? Tutti e nessuno, ma piú che altro nessuno. Mica per merito suo, è che non c'era ragione di darle importanza. Amici? Uguale. Io ci sono andata a cena due volte dopo la morte di Mario, Pucci si sentiva in dovere di starle vicino, ci conoscevamo da un po' e neanche si ricordava il mio nome. Che adesso è Marcella, signor commissario, per favore, non si confonda. Però no, aspetti, un amico ultimamente se l'era fatto, e magari qualcosa di piú, non so. Aldino Scaglianti. Un amico di Mario, suona nella sua banda. Mario però non suonava niente, era un appassionato di jazz e una volta che era tornato dai suoi viaggi in America si era dato da fare per mettere su questo gruppo di musicisti, tutti universitari. Aldino suonava il sassofono. Lo conosco perché ci siamo presi un po' di confidenze, lo avete visto Pucci, è un bravo marito, ma non è Clark Gable. Dopo la morte di Mario, Aldino è cambiato, insomma, siamo cambiati tutti, però lui di piú. Mi ha, diciamo cosí, mollata e si è avvicinato a Stefania, che prima invece si odiavano cordialmente. Oggi non l'ha visto perché non c'era. Non lo so come mai. Va bene che stasera suona al Modernissimo con la banda, ma un salto avrebbe anche potuto farlo.

Wanda sciolse le gambe e le stese sotto il cruscotto. Si lisciò le calze sulle cosce, il vestito sulle calze e il cappotto di velluto nero sul vestito.

– Non lo so chi può averla uccisa, la Stefania, e neanche perché. Adesso però devo proprio andare.

Giannino guardò De Luca, che annuí. Allora scese dall'auto e tenne aperta la portiera con un mezzo inchino. Wanda scivolò sul sedile e saltò nella neve. Prima di andarsene tese il braccio verso De Luca.

– Signor commissario, le do la mano perché non sono piú Wanda la Ferrarese. A Pucci ho detto che mi chiamo Marcella e che facevo la maestra ad Argelato, se lo ricordi, per favore.

– Ferma, ferma! Fermati qua.

Giannino schiacciò il freno senza affondare troppo il pedale, perché l'auto tendeva a scivolare verso destra. De Luca era rimasto zitto tamburellando con la punta delle dita sul foglio dei tabulati telefonici, poi, passato Malalbergo, aveva schiacciato la fronte sul finestrino gelato, gli occhi fissi sugli alberi che scorrevano dall'altra parte della strada, e cosí li aveva visti, i fiori, legati a un tronco abbastanza in alto da non essere coperti dalla neve. Tirò la leva della maniglia che l'Aurelia non si era ancora fermata del tutto e aprí la portiera.

– Dove va, ingegnere? – Giannino era rimasto accanto alla macchina, dalla sua parte della strada. Aveva anche ricominciato a nevicare. – Le dispiace se non la seguo? Ho un paio di scarpe di Roveri.

De Luca attraversò la carreggiata fino all'albero, affondando nella neve. C'era un mazzetto di fiori fradici e stropicciati, tenuto su da un nastro di raso nero. Fece per toccarlo ma si fermò con la mano a mezz'aria, poi controllò a destra e a sinistra, lungo la strada deserta e bianca, e tornò alla macchina.

– Trovami qualcosa sull'incidente.

– L'incidente? Quale?

– Quello in cui è morto il professor Cresca, un paio di mesi fa, mi sembra.

– Perché? Siamo qui per indagare su un omicidio, una donna annegata in una vasca da bagno, no?

– Trovami qualcosa.

– Va bene. Ma non capisco perché. Mi sembra una perdita di tempo, ci hanno detto...

– Per favore, fai come ti dico.

– Va bene.

Giannino aveva accelerato troppo, premette il freno e tirò indietro la levetta del cambio sul volante per tornare in seconda. De Luca rabbrividí, perché, camminando sul cumulo di neve, si era bagnato dentro le scarpe. Guardò quelle di Giannino, lucidissime, quasi a punta, con una piccola fibbia argentata al posto dei lacci.
– Di chi hai detto che sono le tue scarpe?
– Roveri. È un negozio che le fa su misura, bravissimi. Oddio, il migliore di tutti sarebbe Fini, ma a quello non ci arrivo neanche, con il nostro stipendio, ingegnere.
– Ti piace vestire bene.
Giannino si strinse nelle spalle.
– Il cappotto?
– Boni. In via Ugo Bassi. Anche il maglione. La camicia invece è di Fiorini. Ma non su misura, già confezionata.
– Devi avere un gran successo con le ragazze.
– Non mi lamento.
– Fidanzata?
– Niente di serio.
Aveva di nuovo accelerato troppo. Frenò un po' piú forte e l'auto sbandò appena, pochissimo, ma con la guida a destra De Luca si sentiva in mezzo alla strada e si aggrappò alla maniglia, d'istinto. Aspettò un po', in silenzio. Anche Giannino, stranamente, se ne stava zitto.
– Che fai, stasera? – chiese De Luca, all'improvviso.
– Io? Non so, credo...
– Portami a sentire un po' di musica, andiamo al Modernissimo.
Giannino lanciò un'occhiata a De Luca, ma abbassò subito lo sguardo sul dito che indicava i numeri stampati sul tabulato, quello chiamato dalla mansarda, sempre lo stesso.
– Farmacia Scaglianti. O la signora Stefania ha avuto un

attacco di influenza o c'è qualcosa di strano. Andiamo a
fare due chiacchiere con Aldino, suonano questa sera, no?
– Sí, sí, certo, – disse Giannino, e frenò ancora, perché
di nuovo aveva accelerato troppo.

Sul volantino attaccato alla porta di una delle sale sopra
il cinema-teatro Modernissimo c'era scritto «Alma Mater
Dixie Jazz Band».

Erano in cinque, tutti in gessato scuro, a righe larghe,
stretti su un palco rialzato in fondo a una stanza quadrata,
resa piú piccola dal fumo e dal buio, ma anche piú grande
dal fatto di essere quasi vuota. Suonavano concentrati, a
occhi chiusi, come ipnotizzati, anche quando non soffia-
vano nel trombone o nella cornetta, ma c'era qualcosa di
storto nella loro musica, qualcosa che zoppicava nel piano-
forte che cercava di inseguire la melodia o nelle spazzole
che raschiavano i piatti.

Se ne accorse anche De Luca e Giannino glielo confermò
mentre andavano a sedersi in fondo, in un angolo, *Vogliono scimmiottare la Magistratus, ma quelli sono eccezionali,
questi invece fanno proprio schifo.* Gli scappò un sorriso di
compatimento, quando un biondino dalla faccia rotonda
iniziò a soffiare nel sax.

– Se quello è il nostro Aldino, ingegnere, speriamo che
faccia il farmacista meglio di come suona.

Poi arrivò lei.

Non l'avevano notata perché stava seduta su una sedia
accanto al palco, nel buio, e neppure quando salí e si avvicinò al microfono ci fecero molto caso, distratti tutti e
due dal biondino che suonava male il sax.

Ma quando iniziò a cantare *I'll Never Be the Same*,
Giannino voltò la testa di scatto, come per una scossa,
e rimase un istante a bocca aperta, prima di mormora-

re *Madonna bona, ingegnere, gli altri fanno schifo ma lei
è bravissima*.

Lo era, sicuramente, cantava con una bella voce morbida e profonda, e lo faceva in modo appassionato, protesa
in avanti, le labbra che sfioravano il cilindro massiccio del
microfono come per baciarlo, ma De Luca si era distratto
a osservare un'altra cosa.

Carina, giovane, i capelli neri raccolti sulla nuca e un
vestito, nero anche quello, che le scendeva dritto e sobrio
appena sotto le ginocchia. Ma prima di tutto aveva notato la sua pelle scura, non cosí tanto da essere nera ma abbastanza da non essere bianca.

Faccetta Nera, pensò De Luca.

Quando finí di cantare, Giannino si lanciò in un applau-
so scatenato che si tirò dietro la gente sparsa sulle sedie
della sala. La ragazza guardò nella sua direzione, una mano
sulla fronte per schermare la luce di un faretto che illuminava il palco, poi soffiò un bacio sul palmo di una mano.

– La Lena Horne italiana, ingegnere, mi dia retta. O
meglio, la Lena Horne bolognese, visto come pronuncia la
lingua. Però brava, Dio bonino, brava, l'ha fatto tristissi-
mo, questo pezzo, mi sono commosso.

Brava!, urlò Giannino e la ragazza sorrise. Cercò il con-
senso del biondino con il sax, quindi si alzò e si abbassò sui
talloni per togliersi le scarpe, mentre quello schioccava le
dita per dare il tempo agli altri. Sollevata sulle punte, perché al microfono non ci arrivava quasi piú, le mani strette
all'asta per tenersi in equilibrio, seguí l'introduzione del
brano con gli occhi chiusi, senza aprirli neanche quando
cominciò a cantare.

– *Stormy Weather*, – sussurrò Giannino, – lo dicevo io,
la Lena Horne bolognese...

Durò poco, però, perché alla fine della strofa il biondino fece un cenno alla ragazza, che raccolse le scarpe e scese dal palco, tornando alla sua sedia.

Giannino aspettò un po', sempre piú insofferente, poi
batté le dita sulla spalla di De Luca.

– Vedrà che alla fine vengono tutti giú al caffè del Modernissimo. Che dice, ingegnere, lo aspettiamo lí il nostro
Aldino?

Aspettarono meno di un'ora, seduti a un tavolo accanto all'entrata, in modo da vedere se Aldino avesse tirato
dritto sotto il portico, senza fermarsi al caffè.

I primi a scendere furono il pianista, il batterista e la
ragazza, che rimase al bancone mentre gli altri si sistema-
vano a un tavolo accanto a un albero di Natale, razziando
sedie da aggiungere a quelle che già c'erano.

– Me la dài una birretta veloce veloce? Mi aspettano a
casa... – disse la ragazza al barista, poi si accorse di Giannino che le batteva silenziosamente le mani e gli soffiò un
altro bacio sul palmo.

– La Lena Horne italiana, – disse De Luca, e lei sorrise.
Bevve un sorso di birra, poi si avvicinò.

– Lo dice davvero? – chiese. – O è solo perché ho fatto *Stormy Weather*?

De Luca si strinse nelle spalle, senza sapere cosa rispondere, e lanciò un'occhiata rapida a Giannino.

– Lo dice davvero. L'ingegnere, qui, è un grosso impresario musicale, e se ne intende, mica ha detto Billie
Holiday perché ha sentito *I'll Never Be The Same*. Mi permette, però? Li ha fatti tristissimi... ovvio, malinconici
lo sono, ma lei...

– Ho perso un amico, di recente, – disse la ragazza, e
da come immerse le labbra nella schiuma della birra De
Luca capí che non avrebbe aggiunto altro.

– Ingegner Morandi, – disse, tendendo la mano.
– Claudia.
– E io sono Giannino. Si siede un minuto con noi?
– Vorrei ma mi aspettano a casa.
– Ci piacerebbe sentirla ancora, vero, ingegnere?
De Luca annuí e Claudia sorrise.
– Con l'Alma Mater? – chiese, poi vide l'espressione di
Giannino e sorrise ancora.
– Di solito è meglio, – aggiunse.
– Sbaglio o il sassofonista è un po' geloso? – disse De
Luca. – Come si chiama?
– Aldino, Aldo Scaglianti, è il capo della banda. E an-
che lui di solito è meglio. Comunque con l'Alma Mater
non c'è niente in programma per un po'. Io canto al Do-
polavoro Tranvieri per il veglione di Natale, il 25. Ma è
un'altra cosa. Oddio, ecco il tram!
Fece ciao con la mano, poi si strinse nel cappottino, già
rabbrividendo per il freddo che avrebbe avuto, e uscí fuo-
ri di corsa, verso il tram che si era fermato alla piazzola.
– Adesso ho capito, – disse Giannino. – È la negretta
del professore... come la chiamava la lavandaia?
Faccetta Nera, pensò di nuovo De Luca, ma non lo disse.
– Faccetta Nera, – disse Giannino, e rise.
Poi, all'improvviso, impallidí. Si alzò, girando le spalle
alla sala e prese De Luca per un braccio, tirandolo discretamente perché facesse lo stesso.
– Andiamo via, ingegnere, – sussurrò.
– Perché? – disse De Luca. – Dobbiamo aspettare...
– Paghi lei, ingegnere. Io l'aspetto fuori.
Non capiva. Aldino era appena entrato nel locale assie-
me al resto del gruppo. Stava piú indietro, con un uomo
calvo e con gli occhiali, basso come lui, e intanto Giannino
era già fuori, il mento infossato nel bavero del cappotto,

affondato per metà nella sciarpa. De Luca lasciò cadere un po' di spiccioli sul tavolino, accanto alla tazzina di caffè che aveva preso, e uscí.

Stava per dire qualcosa ma Giannino lo afferrò di nuovo per un braccio e lo tirò verso di sé, costringendolo a seguirlo dietro la colonna di un portico, quasi dentro la neve ammucchiata dagli spalatori.

Dal caffè erano usciti Aldino e l'uomo calvo, anche loro stretti nei cappotti per il freddo. Attraversarono la strada di corsa, verso una piccola Topolino nera, e ci saltarono dentro. Guidava l'uomo calvo, che partí in fretta.

– Allora? – chiese De Luca, impaziente.

– Allora l'ha visto che Aldino stava con un tizio, no? Lo conosce, lei, quel tizio lí?

– No.

– Ecco, e probabilmente neanche lui conosce lei, visto che è cosí nuovo. Però è possibile che conosca me, e se mi avesse visto avremmo mandato tutto a puttane, come dicono le persone bene educate.

– Perché?

– Perché quella tartaruga pelata è anche lui una spia, ingegnere. Si chiama Amleto Giorgini. È un collaboratore dei servizi di spionaggio russi.

23 dicembre 1953, mercoledí

Due ritagli di giornale.
– Due ritagli di giornale?
– Non ho trovato altro, ingegnere. Due ritagli di giornale. Tutti e due del «Giornale dell'Emilia», a distanza di un giorno l'uno dall'altro, 20 e 21 ottobre 1953. TRAGICO INCIDENTE SULLA FERRARESE, il primo, tre colonne.
DOMANI A FERRARA LE ESEQUIE DEL PROFESSOR CRESCA E DEL NIPOTINO, il secondo, due colonne e mezzo.
– Due ritagli di giornale!
– Ingegnere, ho fatto quello che ho potuto. Siamo sotto Natale, anche se lei non ci pensa. Anzi, guardi, non si faccia venire strane idee per domani, io torno a Firenze in famiglia, noi si fa la santa messa il 24 sera e il pranzo il 25.
Nel primo ritaglio c'era la dinamica dell'incidente, breve e tutta al condizionale. L'auto del noto professor Cresca con a bordo il nipotino di dodici anni avrebbe tentato un sorpasso azzardato che l'avrebbe portata a impattare frontalmente contro un camion che arrivava in senso opposto. Sia il professore che il nipote sarebbero morti sul colpo.
– Ora, mi è parso di capire che della santa messa non gliene importi un granché, ma se volesse venire a pranzo da noi il 25 è il benvenuto, davvero.

Il secondo ritaglio era quasi identico, ma virato all'indicativo. In piú c'erano i dettagli per il funerale, un accenno al bambino che il professore accompagnava a Bologna dopo una vacanza a Ferrara, e il nome del dirigente della Stradale che aveva compiuto i rilevamenti.

– Perché sorride cosí, ingegnere?

– Perché il destino ha un gran senso dell'umorismo. Portami alla caserma della polizia Stradale. Mancano due giorni a Natale, ci sarà ancora qualcuno, no?

Non era cambiato, il maresciallo Pugliese, era invecchiato. Piccolo, il naso a becco, i capelli radi lisciati indietro dalla brillantina in un ciuffo ricurvo sulla nuca, piú che un corvo adesso sembrava una cornacchia. Non tanto nero quanto grigio, il cappello, il cappotto, anche il volto, un po'.

Alla caserma della polizia Stradale di Bologna un agente con gli stivali e un cinturone stretto in vita come un torero aveva detto che il maresciallo capo era in licenza natalizia.

A casa di Pugliese, in piazza Santo Stefano, il portinaio aveva detto che il cavaliere era sicuramente sotto al portico accanto alla chiesa, a fumare un sigaro, lo faceva tutti i pomeriggi di festa, dopo mangiato, nonostante il gelo, come padre Marella che chiede l'elemosina anche sotto la neve, disse. E infatti si affacciò al portone e glielo indicò, *Eccolo là*, appoggiato alla balaustra tra le colonne con tutte e due le braccia, a osservare la piazza.

Quando Pugliese vide arrivare De Luca non lo riconobbe subito, perché lui sí che era cambiato, ma non ci mise molto, il tempo di corrugare la fronte e allargare le braccia, sorpreso.

– Commissa', non ci credo... siete voi!

Si tolse un guanto ma non gliela strinse, la mano, la prese con tutte e due le sue, una nuda e calda, l'altra di pelle

fredda e bagnata, e De Luca si lasciò andare a un sorriso
cosí aperto che gli vennero le lacrime.
  – Vi ho chiamato nel modo giusto? Siete ancora commissario, o mi sbaglio?
  – Quasi. Però mi chiamano ingegnere. Ma non mi chie-
dete il nome del servizio perché non l'ho capito.
  Giannino si era innervosito. Pugliese gli lanciò un'occhiata divertita e poi tornò su De Luca, lo sguardo ironico e quel sorriso sotto il naso adunco che adesso sí lo
faceva di nuovo assomigliare a un corvo. Anche l'accento meridionale, sempre forte, sembrava aggiungere una
nota sarcastica.
  – Vi ho conosciuto comandante di una squadra politica, poi commissario della Mobile, poi vicecommissario
della Buoncostume, – fece un gesto circolare con la mano,
all'indietro, – e adesso mi siete diventato una barba finta.
Come avete fatto a sapere che stavo qua?
  – Siamo andati in caserma, prima...
  – E vi hanno dato il mio indirizzo di casa?
  – No, ma il ragazzo, qui, è bravissimo a raccogliere informazioni.
  Un altro sguardo a Giannino, che era sempre piú nervoso, Pugliese sollevò il cappello, chinando appena la testa,
poi si strinse nelle spalle.
  – Siete venuto a offrirmi un lavoro, commissa'? Tra due
settimane vado in pensione.
  C'era un bastone attaccato alla balaustra di metallo
del ponte, De Luca se ne accorse solo in quel momento e
notò anche che Pugliese sembrava innaturalmente rigido.
  – No, non è per questo. Ho un tendine leso da una pal-
lottola che mi sono preso in Sicilia, quando stavo a dare la
caccia al bandito Giuliano, ma per la scrivania vado ancora
benissimo. È che mi sono stancato, e cosí ho approfittato

di un'occasione, mi hanno contato il doppio gli anni della guerra, la collaborazione con la Resistenza, ci hanno messo su anche la ferita, ed eccomi qua.

– Faccio fatica a immaginarvi fuori dalla polizia.

– Anch'io a voi, commissa'.

Pugliese infilò la mano nuda nella tasca del cappotto e tirò fuori una scatolina di sigari toscani. La porse a De Luca, che scosse la testa, poi a Giannino, che fece lo stesso. Lui invece se ne accese uno, gli occhi stretti per il fumo acre del fiammifero sul tabacco.

– Siete venuto a salutarmi, commissa'? Se è cosí mi fa piacere, venite in casa che vi offro un caffè.

– Volevo parlare dell'incidente in cui è morto il professor Cresca.

Pugliese soffiò fuori il fumo, poi si tolse dal labbro una briciola di tabacco.

– Un brutto incidente, c'era pure un bambino. La 202 del professore si è incastrata sotto un vecchio Dodge del tempo di guerra, che piú che un camion è un carro armato. Morti sul colpo.

– Una 202, – disse Giannino, – uno di quegli spiderini coupé della Cisitalia, pericolosissimo.

– Infatti. Non ho molto da dire, commissa', il caso se lo è preso la Stradale di Ferrara, questione di competenza. Io ho fatto solo le indagini iniziali, perché siamo arrivati prima.

– Sono appunto quelle che mi interessano.

Pugliese tornò ad appoggiarsi alla balaustra. Sembrava interessato alle dune di neve che coprivano la piazza davanti alla chiesa.

– Dicono che nevicherà ancora. Voi che ne pensate, commissa'?

De Luca annuí, perché aveva capito. Guardò Giannino, che aveva capito anche lui ma faceva finta di no. Ci volle

un cenno della mano, sottolineato da un secondo piú deciso, perché Giannino sbuffasse, *Vado a farmi un cinzanino*, e attraversasse la strada, diretto al bar di fronte. De Luca si appoggiò anche lui alla balaustra. Vide un mozzicone di sigaro affondato in un buco nella neve.
– Non mi ricordavo che fumaste, maresciallo.
– È una cosa nuova, infatti. Che volete sapere, commissa'?
– Tutto quello che c'è di strano in quell'incidente. Se c'è qualcosa di strano, ovviamente.
– Avete detto bene, se c'è. Perché non c'è niente di particolare, commissa'. Al professore piaceva correre, aveva lo spiderino che andava forte, ha cercato di superare una macchina e si è spiaccicato contro un camion che veniva dall'altra parte. La dinamica è chiarissima.
– Testimoni?
Pugliese alzò tre dita, il sigaro piantato tra le ultime due.
– Padre, madre e figlio che stavano sulla giardinetta davanti, quella che il professore voleva superare. Il figlio stava in ginocchio sul sedile posteriore e guardava dal lunotto, giocava a distanza con il nipote del professore, avevano piú o meno la stessa età. A momenti ci prendono di mezzo pure loro. E fortuna che c'era un motociclista, tra le due macchine, che se ne era già andato, se no quello se lo spazzavano via come una foglia –. Pugliese si strinse nelle spalle e scrollò la cenere del sigaro nel canale. – Tutto chiaro, commissa'.
– E allora perché avete quell'espressione, maresciallo? Anche se è un po' che non ci vediamo, me lo ricordo quel mezzo sorriso.
– Quello che non torna è il camionista. Per carità, brav'uomo, incensurato, in regola con la patente e la licenza di trasporto, non è quello, commissa'. Dopo l'inciden-

te era sconvolto, nemmeno a parlare riusciva, piangeva e basta. Abbiamo capito che era per via del bambino. Oddio, l'incidente era brutto comunque, la macchinetta si è infilata sotto il camion e praticamente... – fece un gesto con la mano guantata, di taglio, sotto il mento, – l'autista diceva che non era colpa sua, che gli era venuto addosso, le solite cose. Poi abbiamo tirato fuori il bambino ed è allora che ha cominciato a stare come un pazzo.

– Mi sembra naturale.

– Sí, e infatti non è neppure questo, commissa'. È dopo. Il caso era già chiuso, tutta la colpa al professore, neanche un giorno gli hanno ritirato la patente al camionista, ma quello dopo un paio di settimane viene a trovarmi in caserma. Era ancora sconvolto e ha detto che mi voleva parlare. Avete presente quelli che c'hanno qualcosa dentro, commissa'? Quanti ne abbiamo visti... vogliono parlare ma non ci riescono. Ecco, neanche lui ci è riuscito, se ne è andato, ma dalla faccia si vedeva benissimo che sarebbe tornato.

– Ed è tornato?

– No. Perché è morto. È caduto nella tromba dell'ascensore del suo palazzo, dal quinto piano. Ha aperto il cancelletto, ha fatto un passo ed è volato giú perché l'ascensore non c'era. Un guasto, succede.

Sempre quel sorriso ironico, sotto il becco. De Luca sospirò perché anche di quello si era ricordato, il modo teatrale con cui Pugliese raccontava le cose. Era come se dicesse *Adesso arriva il bello*.

– Che devo fare, Pugliese? Devo farvi una domanda?

– Chiedetemi a che piano abitava il camionista, commissa'.

– A che piano abitava?

– Al primo.

De Luca corrugò la fronte. Alzò la testa, e vide che su un terrazzo c'era un uomo vestito da Babbo Natale che si era tirato la barba finta sotto il mento e, schiacciandosela contro il petto per non sporcarla, mangiava un piatto di tagliatelle. Ma stava pensando, e se ne dimenticò subito.

– Non è che potete farmi avere il rapporto dell'incidente?

Pugliese soffiò sulla punta del sigaro, perché cosí a parlare si era quasi spento.

– Come vi ho detto, commissa', c'è stato un conflitto di competenza, piuttosto inusuale, ma non importa. S'è preso tutto la Stradale di Ferrara che in un paio di giorni ha chiuso le indagini.

– Non vorrà dirmi che non vi siete tenuto una copia degli atti.

– Non ve lo dico, infatti. Ho un po' di appunti battuti a macchina, l'interrogatorio della famiglia sulla giardinetta, poca cosa. Se li volete, volentieri... immagino che non possa spedirveli con una staffetta, vero?

De Luca stava pensando e non si accorse del sorriso. Guardava la neve.

– Passo io dalla caserma.

– Non ci sto piú in caserma, ormai sono fantasma, vado in pensione. E comunque me li sono portati a casa i documenti. Se venite su da me vi offro anche quel caffè che vi ho detto. Mia moglie è di qua ma lo fa bene lo stesso. Già che ci siamo ve la presento.

– È stato via tanto, ingegnere.

– Ho preso un caffè con un vecchio amico.

– Potevamo prenderlo insieme. In effetti sembrava davvero che vi conosceste da parecchio tempo. Lavorava con lui?

– È capitato un paio di volte.

– E poi?

– E poi abbiamo fatto una cazzata. È un termine tecnico della polizia, quando arriva qualcuno da fuori e si capisce che è per punizione si dice che sicuramente ha fatto una cazzata. Noi abbiamo arrestato uno che era meglio non toccare.

– Ecco, ingegnere, non vorrei che la facessimo anche noi, una cazzata. Ci è stato detto di indagare sull'omicidio della signora Cresca, no? E allora...

– È proprio quello che stiamo facendo.

Giannino non aveva ancora tirato la levetta dell'avviamento, era rimasto proteso in avanti verso il cruscotto per parlare, ma quando De Luca gli gettò i fogli sulle ginocchia si fece indietro. Aveva ricominciato a nevicare e cosí dovette accendere la luce sul tettuccio, e sollevarli, anche, per riuscire a leggere in quella penombra invernale. De Luca gli indicò il punto, un paragrafo scolpito dai martelletti della macchina da scrivere di Pugliese.

Era la testimonianza della famiglia sulla giardinetta e riguardava il bambino sul sedile posteriore. Giocava col nipote di Cresca che stava nella 202, sparavano entrambi con due dita alla persona che si trovava in mezzo a loro, su una motocicletta grossa. Secondo il bimbo della giardinetta loro erano i cowboy e l'altro un indiano cattivo. Ce l'avevano con lui per un motivo, un motivo preciso. Perché era brutto.

Aveva una faccia mostruosa.

– Una faccia mostruosa, Giannino. Una faccia di mostro.

24 dicembre 1953, giovedí

Sembrava assurdo, ma gli ricordava qualcuno. Anche disegnato da un bambino su un foglio di carta a quadretti, una linea quasi dritta a fare il mento, un'altra piú curva per il naso massiccio e quell'occhio piú basso, cosí reale e cosí stonato, sí, gli ricordava qualcuno.

De Luca aveva passato quasi tutto il 24 chiuso nella sua stanza alla pensioncina, a girare attorno alle fotografie sparse sul pavimento, solo il disegno era appeso al muro, e a sfogliare le pagine dei rapporti stese sul letto.

A parte la colazione fatta al bar sotto il portico, si era dimenticato di mangiare, e a un certo punto anche di riempire la stufetta, finché non glielo aveva ricordato il gelo della stanza, piú dal pennacchio di fiato freddo che gli annebbiava la vista che dai brividi che ogni tanto affioravano in mezzo a quella smania rovente che lo faceva vibrare di impazienza.

Se fosse stato come una volta, avrebbe convocato tutti in questura, uno dietro l'altro, anche i morti, in pratica. Li avrebbe interrogati a suon di domande, minacce, trappole, se necessario anche a schiaffoni. Non lui direttamente, c'era sempre il brigadiere giusto, quello che quando cominciava a togliersi la giacca i pregiudicati capivano subito e di solito non c'era bisogno di altro.

Adesso invece non poteva fare altro che camminare avanti e indietro tra quelle quattro pareti nude, come un leone in gabbia, a pensare, brandina, armadio, stufetta, sedia e ritorno, tappe cardinali del suo universo fisico. Ci fosse stato almeno Giannino a portarlo in giro, ma se ne era andato la sera prima, facendogli promettere che se avesse cambiato idea sul pranzo di Natale gli avrebbe telefonato a Firenze, *Mi raccomando, ingegnere.*

A un certo punto non ce l'aveva fatta piú a rimanere lí dentro a fissare impronte insanguinate di piedi nudi, il volto gonfio di Stefania Cresca o l'occhio obliquo di Faccia di Mostro. Era sceso a comprare una moka, perché sulla stufetta c'era un fornellino, ma a quell'ora era già tutto chiuso, cosí si era fatto prestare una napoletana dal portiere dell'albergo. E siccome aveva di nuovo cominciato a nevicare a falde grosse e silenziose, in un primo momento aveva rinunciato a uscire.

Però non ne poteva piú di stare lí dentro. E aveva già capito che non sarebbe riuscito a dormire come gli ultimi giorni. Cosí uscí lo stesso, il colletto del soprabito rialzato e stretto sotto il mento, sfruttando i portici, mangiò un sacchetto di caldarroste perché lo stomaco che brontolava gli aveva ricordato che aveva fame, rischiò di finire sotto un tram che non aveva visto e alla fine si ritrovò in piazza Maggiore, davanti alla cattedrale di San Petronio.

Entrò e si sedette nell'angolo dell'ultima panca in fondo, anche se era presto per la messa di Natale e la navata era quasi vuota. Lí, rannicchiato su sé stesso come un feto in quel silenzio umido, la smania un po' gli passò e ricominciò a pensare lucidamente.

Poche cose, tra le tante che gli avevano ingolfato la mente. Le piú importanti, anche se ancora in ordine sparso.

Faccia di Mostro collegava la morte del professor Cresca a quella di Stefania. Era presente in tutti e due i casi proprio quando si erano verificati i fatti, e questa era una certezza.

L'incidente del professore era stato provocato, e per ucciderlo. Era solo un'ipotesi, ma concordava anche Pugliese. Era un'ipotesi pure il coinvolgimento del camionista, che sarebbe stato bellissimo poter interrogare, ma era morto. Volando giú da un piano al quale non aveva nessuna necessità di salire, visto che c'era soltanto un terrazzo su cui le donne stendevano i panni, Pugliese aveva controllato. Era un'ipotesi che il camionista fosse andato in crisi perché nell'incidente aveva ammazzato anche un bambino, la cui presenza in macchina non era prevista, che volesse parlare per sgravarsi la coscienza e che lo avessero ammazzato per quello.

Ipotesi, va bene, che la sua esperienza e il suo istinto gli permettevano di considerare qualcosa di piú: piste da battere. A suon di domande, minacce, trappole e schiaffoni, se avesse potuto.

La gente aveva cominciato a entrare in chiesa per la messa. Cappotti, cappelli, sciarpe, pellicce riempivano piano piano la navata lunga di San Petronio con un brusio intenso che aiutò De Luca a calmare un nuovo sbocco d'ansia. Restò seduto sulla panca, invece di uscire, immerso in un mare di incenso, dopobarba, lavanda, colonia e neve, e ricominciò a pensare.

Faccia di Mostro diventava il principale indiziato dei due omicidi, dal momento che era impossibile che si trovasse lí per pura coincidenza.

Però, però però.

Come avesse fatto a uccidere il professore era una dinamica ancora da ricostruire ma piú o meno diretta e immediata. La signora Cresca, al contrario, l'aveva quasi torturata. Avrebbe potuto ucciderla strangolandola col filo del telefono o anche a mani nude, e invece a un certo punto aveva smesso di infierire e l'aveva costretta a sedersi, per

scrivere qualcosa a macchina, lasciando l'impronta del piede scalzo sotto il tavolo. Questa non era un'ipotesi, neanche, era un mistero.

E poi c'era Aldino, collegato alla signora da tutte quelle telefonate e che se la faceva con i russi. E anche questa
non era un'ipotesi, ma un mistero.

Immerso nei suoi pensieri De Luca non sentí lo scam-
panellio che annunciava l'inizio della messa, non si accorse neppure che la gente attorno a lui si era alzata per farsi
il segno della croce. Restò lí, seduto, la schiena curva e le
braccia strette tra le ginocchia, cosí assorto che se non fosse
stato per la fronte contratta e le labbra serrate avrebbero
anche potuto pensare che stava pregando.

Non c'era niente che poteva fare, da solo, e soprattutto il giorno di Natale, tranne una cosa. Una persona con cui avrebbe potuto parlare senza dare troppo nell'occhio. Non subito, però, doveva aspettare fino a sera e cosí fece, divorato da un'impazienza che lo faceva ansimare. A telefonare a Giannino per raggiungerlo a Firenze a pranzo con i suoi non ci pensò neanche. Lasciò passare la giornata in qualche modo, e quando cominciò a scendere il buio la sua frenesia divenne incontrollabile.

Non era soltanto il fuoco dell'indagine, lo sapeva, c'era anche qualcos'altro, che l'aveva colto di sorpresa, appena se ne era reso conto.

Perché aveva proprio voglia di rivederla, Claudia, e questo sí, lo faceva sorridere di imbarazzo, quasi di vergogna.

All'ingresso del Dopolavoro Tranvieri, però, accanto al bancone del guardaroba, c'era un cartellone diverso da quello che De Luca si aspettava. C'era scritto: «Orchestra Paride Canè» e la cantante non si chiamava Claudia ma Franca.

Stava quasi per andare via quando dalle scale che portavano di sotto arrivò una voce, e anche se cantava in italiano, e in modo diverso, De Luca la riconobbe. Era la sua.

E infatti era là, sul palco a balconcino in fondo al salone dalle pareti dipinte come i portici di una piazza, in mezzo a un gruppo di musicisti più anziani, in maniche di camicia e bretelle.

Era molto diversa da quando l'aveva vista la prima volta. Con i capelli sciolti e quel vestito a fiori sembrava ancora più giovane, e anche più piccola, De Luca dovette abbassarsi per vederla sotto i festoni natalizi che addobbavano l'architrave dell'ingresso, mentre scendeva le scale, poi però dovette alzarsi sulle punte, allungando il collo, per vederla oltre le teste delle coppie che ballavano. Cantava una canzone che parlava di papaveri e papere, una canzone allegra, e la cantava bene, anche se non sembrava divertirsi così tanto. La sua pelle, in contrasto con la stoffa chiara del vestito, pareva un po' più scura.

I tavolini erano tutti occupati da bicchieri tinti di vino, scialli e giacche sugli schienali delle sedie, e ragazze magre e accigliate sedute a fare flanella, ma comunque De Luca non ne avrebbe preso uno. Cercava un posto appartato perché, anche se era passato del tempo e nell'unica fotografia pubblicata sui giornali era molto diverso da adesso, era meglio non dare nell'occhio, non avrebbe dovuto neppure frequentarli, i posti pubblici e affollati. Voleva anche guardare Claudia, però, così si appoggiò al bancone del bar, nell'angolo in fondo, sotto l'ombra della balconata, e siccome lì era praticamente costretto a ordinare qualcosa chiese un caffè, *Corretto alla sambuca*, disse il barista e chissà perché non era una domanda.

Claudia aveva attaccato un'altra canzone, più veloce, sul ritmo saltellante di una mazurka. Era in dialetto bolognese e doveva essere qualcosa di allusivo, perché ammiccava alla fine di ogni strofa e la gente rideva.

Il gomito sul bancone e il mento su una mano, De Luca la fissò cercando di immaginarsela nella mansarda di via Riva di Reno, assieme a Cresca, ma a vederla così, una ragazzotta col vestito a fiori, non ci riusciva, doveva ricordarsela come l'aveva vista la prima volta, i capelli raccolti e il vestito scuro, da esistenzialista, e allora sí, ma senza insistere troppo, perché scoprí con imbarazzo che gli dava fastidio. E quando lei si voltò da quella parte, e incrociò il suo sguardo, De Luca abbassò gli occhi, anche se era praticamente impossibile che avesse potuto vederlo, al buio e in mezzo alla gente.

E invece l'aveva visto, perché alla prima pausa, quando il microfono lo prese un uomo piú anziano con una barbetta stretta sotto il mento, Claudia scese dal palchetto e si diresse decisa verso di lui.

– Non mi aspettavo di vederla qui, – disse.

– Avevo voglia di risentirla. La Lena Holliday italiana.

– Lena Horne. O Billie Holiday.

– L'ho fatto apposta, – disse De Luca, ma da come era arrossito si poteva capire che non era vero. E da come Claudia sorrise si poteva intuire che lo avesse capito anche lei.

Mezzanotte a Mosca e nulla piú, cantava l'uomo con la barbetta, stringendo una fisarmonica, *chi non è mai stato laggiú, non può credere, la gioia che ti dà, tanta neve che imbianca la città.*

– Posso offrirle qualcosa? – chiese De Luca. Claudia abbassò il volto ad annusare la tazzina vuota che stava sul bancone.

– Anche lei segue la moda del locale. No, grazie, devo tornare a cantare, – indicò il palchetto, – questa la fa mio padre ma poi tocca ancora a me. Ha qualche richiesta?

– Faccio scegliere a lei, – disse De Luca, nel modo piú naturale possibile, ma era arrossito di nuovo e di nuovo lei aveva sorriso. Gli prese la tazzina del caffè corretto e rapida bevve un sorso di quello che era rimasto, perché l'uomo con la fisarmonica stava finendo la sua canzone.

– Ha lasciato tutto lo zucchero con la sambuca. Grazie
per la carica, la saluto, ingegner...
– Morandi, – disse De Luca. Poi allungò una mano per
prenderle un braccio, perché stava andando via.
– Vorrei parlarle, – disse tra gli applausi. Lei annuí senza guardarlo, lasciandolo nel dubbio se avesse sentito o se
non fosse stato invece un cenno per l'uomo che la fece salire sul palchetto, lasciandole il microfono.

Cantò *Bella ciao*, battendo le mani a tempo sopra la testa e trascinando praticamente tutti a fare lo stesso, compreso De Luca, incitato anche dai cenni entusiasti di un
uomo con il distintivo dell'Anpi sulla giacca, accanto a
quello da tranviere, che urlava *È brava la nostra Franchina!*, forte, per farsi sentire.

Forse è troppo tempo che non sto con una donna, pensò
De Luca, perché invece di cercare il momento e il modo
per farle le domande giuste, piú che altro la guardava.

Seduta accanto a lui, nel tram, il cappotto abbottonato
fino al collo e le mani nei polsini delle maniche, Claudia parlava guardando fuori dal finestrino per non perdere la fermata, e cosí lui poteva fissarla, studiarla, senza farsi notare.

Lo colpiva l'ovale del mento, la linea sottile del collo e
anche la peluria scura sotto la nuca lasciata scoperta dai
capelli tirati su alla buona con una forcina. Prima, a incu-
riosirlo, erano stati il naso piccolo e rotondo, le labbra di-
ritte ma morbide, e gli occhi grandi e un po' allungati dal
trucco sottile, nerissimi. E prima ancora aveva osservato
la sua pelle, quella tonalità intensa, da meticcia.

Notare nuovamente quelle piccole rughe che le segnavano gli angoli degli occhi e della bocca lo portò a chiedersi
un'altra volta quanti anni avesse, e il cercare di dedurlo
lo fece tornare in sé.

– Se devo scegliere però è il jazz, – stava dicendo Claudia. – Blues, swing, dixie e tutti gli standard. Non ne posso piú del repertorio bolognese che piace tanto a mio padre.

La domanda era cosa preferisse cantare, De Luca gliela aveva fatta appena erano usciti dal circolo del Dopolavoro, ma Claudia aveva cominciato a correre verso il tram, tirandolo per una manica, e non gli aveva risposto.

De Luca l'aveva attesa fino alla fine del concerto, con lo stomaco che gli bruciava per i caffè alla sambuca, le aveva chiesto se voleva andare a prendere qualcosa con lui ma Claudia aveva accettato solo di farsi accompagnare fino a casa. De Luca aveva notato lo sguardo accigliato dell'uomo con la fisarmonica e la barbetta, ma Claudia aveva detto *Non sono piú una bambina*, ed era allora che lui aveva cominciato a chiedersi che età avesse. Poi non c'era stato tempo per altro, perché era tardi, e visto che lui non aveva una macchina bisognava non perdersi le coincidenze per arrivare fino a via del Traghetto.

– Canto da quando avevo tredici anni. Ho cominciato in risaia, il giorno in coro con le altre mondine e la sera da sola, per i padroni. È stato allora che ho capito che era la cosa che mi piaceva fare di piú. Piú dell'amore, anche –. Lo disse con naturalezza, senza ammiccamenti, cercando la strada attraverso il finestrino. – Poi mio padre ha messo su l'orchestra e ho cominciato a farlo per mestiere.

– E il jazz? – chiese De Luca. – Come è arrivato? – Conosceva la risposta, ma era la domanda che cercava, finalmente, quella giusta.

– Me l'ha fatto conoscere un amico, – disse Claudia. – Ha detto che secondo lui avevo la voce adatta. Mi ha fatto sentire dei dischi… e mi sono innamorata.

Rabbrividí, stringendosi nel cappotto. Scivolò sulla panca di legno del tram e si rannicchiò contro De Luca, sem-

pre con naturalezza, senza ammiccamenti. Tirò su anche
le gambe, infilando le ginocchia sotto le falde del cappotto, come una bambina. De Luca resistette all'istinto di ab-
bracciarla, perché a lui non sarebbe venuto cosí naturale.
– Il professor Cresca, immagino, – azzardò. – Mi hanno detto che è stato lui a ispirare l'Alma...
– Sí, – taglio corto Claudia. – Alla prossima scendiamo
e cambiamo.

Si era rabbuiata, e da come stringeva le labbra, seria,
De Luca pensò che se non l'avesse riagganciata sarebbe
rimasta in silenzio per tutto il viaggio.
– Claudia o Franca? – chiese. Dal sorriso che riuscí a
strapparle capí che l'aveva ripresa.
– Claudia è il mio nome vero. Franca è quello che avevo nei partigiani. Ma a mio padre piace di piú e mi chiamano tutti cosí.

Per un momento De Luca si perse. Perché si era segnato mentalmente di chiedere a Giannino una ricerca tra le
carte dell'Anpi, ma poi si era domandato se raccogliere
informazioni su Claudia fosse una cosa che interessava
davvero alle indagini e non soltanto a lui.
– E lei? Quale preferisce?
– Claudia. Ecco, siamo arrivati.

Scesero dal tram e rimasero sulla piazzola coperta di neve. Claudia rabbrividí ancora e cominciò a saltellare, perché aveva un paio di scarpette basse. De Luca le mise un
braccio sulle spalle, stringendosela contro, e questa volta
lo fece con naturalezza, perché vedeva che stava moren-
do di freddo. Le avrebbe dato la sciarpa o il cappello, se
lo avesse avuto, e in ogni caso, con il suo impermeabile,
stava ghiacciando anche lui.
– Mi interessa questa cosa del jazz, – disse, come pensando ad altro, – anch'io credo che sia una grande inter-
prete. Il professor Cresca...

Si bloccò perché si accorse che Claudia lo stava osservando, ironica.

– Guarda che lo so che non sei un impresario musicale, – gli disse.

– Prego?

– Intanto non ho mai visto un impresario senza macchina, poi non sai distinguere Lena Horne da Billie Holiday, ma scommetto che non sai neanche chi ha vinto l'ultimo Sanremo. Ho ragione?

De Luca aprí la bocca, cercando di improvvisare, ma si bloccò subito, perché lei aveva sussurrato *Lo so perché l'hai detto*. E, anche, *Conosco il tuo segreto, ingegnere*.

– L'hai detto per far colpo su di me. Perché ti piaccio, anche se fai di tutto per tenerlo nascosto.

De Luca sospirò, dentro.

– Sí, – disse senza sforzo, aiutato dal fatto che era sincero. – Sí, è vero. Mi piaci.

Non si era allontanata, era rimasta sotto il suo braccio, stretta contro il suo fianco.

– Mi piaci anche tu ma sto qui perché muoio di freddo, e quando arriviamo a casa prendi il tram e torni indietro. Non ti conosco, non so neppure come ti chiami. Non ti fare strane idee.

Gli aveva infilato una mano in tasca, per riscaldarla, e aveva iniziato *Non ti fidar di un bacio a mezzanotte*, ma si fermò subito, tirando indietro il braccio e staccandosi di colpo.

– Hai una pistola.

– Ma no, dài...

– Le conosco le armi, non sai quante ne ho portate in giro cosí. Hai una pistola.

– Senti, Claudia...

– Perché hai una pistola? Chi sei? Perché mi fai tutte quelle domande su Mario? Cosa sei, un poliziotto?

– Ma no, Claudia, io...

Non sapeva cosa dirle. Sembrava una persona diversa da quella di prima. Dura, le labbra strette, scolpite nella pietra, non tremava neanche piú per il freddo. Aveva fatto solo due passi indietro ma era come se fosse in fondo alla pensilina, sotto il portico oltre la strada, lontana.

De Luca ci provò.

– Non sono un poliziotto. Sono un agente delle assicurazioni. Sto indagando sulla morte del professor Mario Cresca perché penso che non si tratti di un incidente.

Ecco fatto, gettato l'amo con l'esca. Non restava che aspettare e De Luca lo fece, gli occhi dentro quelli di Claudia. Neppure lei li abbassò.

– Mi hai imbrogliato. La musica, il jazz, il fatto che ti piaccio, tutte balle. Mi stavi usando.

Un momento dopo era davvero oltre la strada, sotto il portico, ad aspettare laggiú il tram per via del Traghetto. De Luca capí che era inutile raggiungerla, inutile insistere. L'aveva persa.

– Mi piaci davvero, – disse, ma lei era girata dall'altra parte e forse non l'aveva nemmeno sentito.

De Luca si voltò e si allontanò curvo nel suo impermeabile, le mani affondate nelle tasche, una su quella stupida pistola inutile che si portava sempre dietro, neanche lui sapeva perché.

Scoprí di essere seguito quando era quasi arrivato alla pensione, e allora fu contento di avercela in tasca, quella stupida pistola.

Aveva bisogno di pensare e siccome il tram li aveva lasciati ancora dentro la cerchia delle mura De Luca aveva rinunciato all'idea di trovare un taxi, si era fatto indicare la direzione da un gruppo di studenti con il cappello a punta e un finto prete che stava per celebrare una messa di Natale goliardica, e aveva proseguito a piedi.

Non aveva pensato molto, confuso da un insieme di sentimenti che lo rendeva eccitato e stanchissimo allo stesso tempo.

Poi, a un certo punto, lo aveva sentito.

Uno scricchiolio di passi sulla neve ghiacciata, alle sue spalle, che era cessato di colpo quando lui aveva alzato il mento dal bavero per accennare a voltarsi.

De Luca si irrigidí, rabbrividendo, perché lo aveva riconosciuto, quel silenzio improvviso.

Era il rumore di chi non vuole fare rumore.

E infatti appena si era girato non aveva visto nessuno lungo lo scorcio male illuminato del portico, solo il ricordo di un movimento rimasto in fondo alla coda dell'occhio, un'ombra che spariva dietro la colonna.

Strinse la mano sulla piccola Beretta, dentro la tasca. Avrebbe potuto tirarla fuori e avvicinarsi alla colonna per vedere chi c'era, ma non lo fece. Si guardò intorno, l'altro portico oltre la strada, l'angolo in fondo alla direzione in cui stava camminando, ma non c'era nessuno. Sapeva che non significava niente, quell'assenza. Poteva essere quella di chi non vuole farsi vedere.

Ricominciò a camminare, la mano affondata nella tasca, il mento e le spalle che gli facevano male per la tensione, le orecchie aperte ad ascoltare. Ansimava tra i denti socchiusi.

Aveva paura.

Girò dietro l'angolo e si appiattí contro il muro, tirando fuori la pistola. Adesso li sentiva di nuovo, i passi, venivano verso di lui ma piú veloci e decisi, come se qualcuno si affrettasse per non perderlo. De Luca fece scorrere l'otturatore dell'automatica con un secco rumore metallico

e alzò il braccio per puntare la pistola, ma i passi si erano
fermati di colpo.

Qualcuno però c'era.

Vedeva il vapore del suo fiato superare il bordo del muro, un respiro veloce, di paura. Allora si decise a muoversi,
fece un passo oltre l'angolo e spinse in avanti la pistola,
pronto a sparare.

Era Claudia.

De Luca alzò il braccio cosí in fretta per toglierle la pistola dalla faccia che a momenti non gli scappava davvero, un colpo. Lei invece non si mosse, le mani schiacciate
sulla bocca e gli occhi spalancati, finché De Luca non ebbe rimesso in tasca la pistola. Allungò una mano verso di
lei, che si divincolò, facendo un passo indietro.

– Mi hai seguito, – disse lui. – Perché?

– Davvero credi che non sia stato un incidente?

– Sí.

– Non penserai che si sia ucciso da solo, vero?

– No.

– E allora so chi è stato. Stefania, quella carogna della moglie.

Dentro faceva quasi piú freddo che fuori. De Luca si
era dimenticato di lasciare accesa la stufa e anche dopo che
l'ebbe riempita di carbone si capiva che ci avrebbe messo
un bel po' prima di riscaldare la camera.

Claudia gli aveva chiesto da bere, magari qualcosa di
forte, ma non c'era niente, una sigaretta allora, ma lui
non fumava.

– Ce l'hai qualche vizio, almeno?

– Bevo molto caffè.

Poi De Luca si era ricordato di aver visto un bar con le
luci ancora accese, giú nella piazzetta in fondo al portico,

era sceso di corsa ed era tornato su con un pacchetto di Nazionali e una bottiglia di Strega, perché il bar era quasi chiuso e non era riuscito a farsi dare altro.

Trovò Claudia seduta sul letto, abbracciata stretta alle ginocchia, con il cappotto chiuso fino al collo e una coperta avvolta attorno alle gambe. Si era tolta le scarpe e le calze, che stavano stese sullo schienale della sedia, accanto alla stufa, le scarpette sopra il piano di ghisa, come a cuocere. Aveva spento il lampadario e acceso l'abat-jour sopra il comodino, che assieme al lampione fuori dalla finestra lasciava la stanza in una penombra morbida, dai contorni definiti. Tirava su col naso e non si capiva se fosse per un raffreddore in arrivo o perché aveva pianto.

De Luca le accese una sigaretta e le porse un bicchiere di Strega, che lei assaggiò con una smorfia, per poi stringersi nelle spalle.

– Credevo di peggio, – disse.

De Luca se ne versò un dito, scosse la testa quando lei gli porse il pacchetto di sigarette e andò a sistemarsi sulla sedia, dall'altra parte della stanza. Il liquore dolciastro che gli scaldava lo stomaco gli fece venire voglia di andare a sedersi sul letto anche lui, accanto a Claudia, ma non lo fece.

– Perché pensi che sia stata la moglie? – le chiese.

Claudia soffiò un filo di fumo tra le labbra socchiuse, restando a guardarlo mentre si scioglieva nell'aria fredda della stanza. Cercò di farlo ancora ma lo ruppe con un colpo di tosse.

– Hai mai conosciuto Mario? – chiese, e De Luca scosse la testa.

– No.

– Era un tipo incredibile, eccezionale. Intanto un genio. Laureato prima del tempo, sprecato all'università, lo dicevano tutti, ma era lui che voleva cosí. Andava spesso in

America, aveva un sacco di amici scienziati e poteva rima-
nerci, laggiú, lo cercavano tutti, ditte private, pure il governo americano, ma lui tornava sempre a Bologna. Sai perché?
– Perché?
– Perché diceva che erano tempi brutti, che la scien-
za, la sua soprattutto, piú che far vivere bene la gente si
occupava di ammazzarne il piú possibile. Diceva che non
voleva responsabilità. Che a un certo punto non basta piú
alzare le braccia e dire *Sono uno scienziato, faccio solo il
mio lavoro*. Capisci?
De Luca non rispose. Si mosse sulla sedia, a disagio e
bevve un altro sorso di liquore. Intanto pensò anche che
avrebbe chiesto a Giannino di controllare il lavoro di Cresca alla facoltà di Fisica e i suoi viaggi negli Stati Uniti.
– Però non era soltanto un genio, Mario. Era colto,
simpatico, spiritoso e sensibile. Era uno che ascoltava e
quando lo faceva capivi che gli interessava davvero. Bello, anche... o meglio, affascinante. Vuoi sapere se ci facevo l'amore?
Sí, voleva saperlo, non solo per motivi personali, e
avrebbe allargato le braccia, facendo finta di niente, ma
lei lo prevenne.
– Sí. Una volta sola. Diceva che era una questione di
chimica, che scattava qualcosa e non ti potevi fermare, soprattutto se non c'era ragione di farlo. Lui non amava sua
moglie e io sono abbastanza grande e libera da fare quello
che voglio. Ecco. È scattato una volta, poi basta. Non ce
n'era piú bisogno.
Tirò su col naso e questa volta era chiaro che non si
trattava di raffreddore, perché immerse le labbra nel bicchiere, come per affogare le lacrime.
De Luca si perse di nuovo a guardarla. Non era colpa
dello Strega, o che non era stato con una donna da trop-

po tempo, tecnicamente quello era l'interrogatorio di un testimone, e doveva proprio studiarne i lineamenti e le espressioni per capire se esagerava, se mentiva, se nascondeva qualcosa. Ma si distrasse a pensare che adesso Claudia sembrava di nuovo diversa, che le sue labbra non erano cosí dritte ma quello di sotto era piú pieno, piú morbido, il naso non cosí piccolo e gli zigomi piú alti, e ora, con quella penombra lucida, anche la sua pelle sembrava piú nera. Pensò che era bellissima. Aveva detto qualcosa. A De Luca ci volle qualche istante per uscire dai suoi pensieri e tornare ad ascoltarla.

– Scusa, hai detto...
– Ho detto, ne prenderei volentieri un altro po'. Comincio adesso a riscaldarmi –. Mosse i piedi sotto la coperta, il braccio teso col bicchiere in mano, vuoto. De Luca si alzò per versarle altro liquore, se ne prese un po' anche lui, stava per chiederle di nuovo di Stefania Cresca perché voleva tornare al suo interrogatorio, ma Claudia disse *Vieni qui, per favore*, battendo il palmo della mano sul letto accanto a sé. De Luca obbedí, istintivamente, e lei gli infilò la punta dei piedi nudi sotto una gamba, li sentiva gelati anche attraverso la stoffa dei calzoni.

– Non ti fare strane idee, – disse Claudia, accendendosi un'altra sigaretta. – Ho accettato di venire su da te, sola, a quest'ora, perché mi stavo congelando, con quelle scarpette da ballo. Ma a cantare con gli stivali o i tacchi non ci riesco. Sarò anche la Lena Horne bolognese, ma resto sempre una mondina.

Non c'era odore di bruciato ma De Luca fece finta di sí per alzarsi a togliere le scarpe di Claudia dalla stufa. Voleva sedersi un po' piú lontano sul letto perché il contatto fisico, anche cosí limitato, lo faceva sentire smarrito e confuso, ma Claudia allungò le gambe e gli mise i piedi sotto la giacca, sulla pancia. De Luca deglutí, senza fiato, e non solo per il freddo. Aveva un nodo stretto, tra lo stomaco e il cuore, che sembrava strangolarlo lentamente.

– Vuoi sapere perché penso che quella carogna della moglie c'entri qualcosa? – disse Claudia.

– Sí.

– Perché me l'ha detto lui. Negli ultimi tempi era piú nervoso, strano, distratto... mi aveva promesso una cosa molto importante e se ne era dimenticato, e non sarebbe mai successo prima.

– Posso chiederti cos'era?

Claudia si strinse nelle spalle. – Non è un segreto. Mario conosceva uno alla Ricordi, doveva scrivergli per farmi avere un provino. Lo ha fatto, ma non subito.

– Sai perché era nervoso?

– No. Non me l'ha detto. Però una sera che eravamo nella mansarda a sentire dei dischi, ecco, stava pensando, tutto preso, io credevo dalla musica, poi all'improvviso fa *Se mi succede qualcosa la colpa è tutta di quella stronza*, la chiamavamo cosí.

– Qualcosa? Cosa?

– Gliel'ho chiesto, cosa ti deve succedere?, e lui *Metti che sparisco come Maiorca...*

– Majorana.

– Può darsi, non lo so... gli ho chiesto chi era ma lui si è messo a ridere e c'era un assolo di Benny Goodman nel disco, ha cominciato a parlare di quello e io non ci ho pensato piú. Fino a questa sera, con te.

– Quando è successo?

– Sarà stata una settimana prima del... dell'incidente, insomma.

De Luca corrugò la fronte. Aveva cominciato ad accarezzare i piedi di Claudia sopra la stoffa della giacca, per

scaldarli, ma lo faceva soprappensiero. Se ne rese conto solo quando lei lo spinse con il tallone, due volte, come per bussare, e la vide sorridere, il labbro di sotto tra i denti e lo sguardo che sembrava prenderlo in giro.
   – Lo sai perché sono qui? – gli disse.
   – Per raccontarmi i tuoi sospetti.
   – Va bene. Lo sai perché sono ancora qui, allora?
   – Sí, no... non lo so.
   – Chimica, – disse Claudia. De Luca si spinse in avanti ma lei lo fermò con un piede sul petto, appena un momento, giusto il tempo di fargli capire che aveva scelto lei. Poi lo mollò e si baciarono cosí in fretta e cosí forte che ebbero tutti e due sulle labbra il sapore dolciastro del sangue.

   Avevano fatto l'amore vestiti, lei col cappotto aperto sul petto perché lui potesse metterle le mani sul vestito e lui sopra il suo reggicalze, oltre le mutandine tirate di lato, le gambe di Claudia strette attorno ai suoi fianchi che lo spingevano dentro con i talloni sulle natiche scoperte, le mani che gli afferravano la nuca per schiacciargli la bocca contro la sua, come per mangiarlo.
   Era davvero troppo tempo che non stava con una donna e se avessero continuato con quella furia sarebbe stato velocissimo, ma all'improvviso Claudia lo trattenne, lo guardò negli occhi e poi li chiuse e stringendo il labbro tra i denti, gli spinse giú la testa perché la baciasse sul collo mentre si schiacciava contro di lui, le gambe che non stringevano piú ma pulsavano, piano, con forza ma piano, dolce e intenso, fino alla fine.

   Rimasero vestiti anche dopo, un po' perché la stufa non aveva ancora scaldato abbastanza, ma soprattutto perché

Claudia gli aveva detto subito che non sarebbe rimasta a dormire, cinque minuti e se ne sarebbe andata.

– Il signor Paride si arrabbia quando la figlia non torna a casa? – disse De Luca.

– La figlia del signor Paride ha fatto la risaia, la guerra e le tournée, e sa come tenere a bada fascisti, padroni dalle braghe bianche e jazzisti esistenzialisti figli di papà. Per lui sono sempre la sua bambina, ma ho venticinque anni e mi gestisco da sola. Stiamo in via del Traghetto, che è a casa di Dio, laggiú dalle cave, e quando faccio tardi dormo fuori.

Claudia teneva la testa sul petto di De Luca, incastrata sotto il suo mento. Lui avrebbe voluto guardarla ma avevano spento la luce sul comodino e cosí al buio, solo con il lampione, da fuori, i suoi lineamenti erano spariti in un'ombra scura, che De Luca seguiva con i polpastrelli, lentamente. Ora sapeva quanti anni aveva, ed erano diversi, di piú o di meno, da quelli che sentiva sotto le dita.

– Non resto perché hai una camera orrenda e un letto troppo stretto. C'è un parcheggio notturno con i taxi, qui vicino, vado a prenderne uno.

– Ti accompagno.

– Non c'è bisogno.

– Non se ne parla neanche. Sarai stata anche una staffetta partigiana ma a quest'ora…

Claudia si mosse sotto le sue dita. Gli spostò la mano, piano ma con decisione.

– Perché una staffetta?

– Hai detto che hai fatto la Resistenza… ho capito male?

Claudia sospirò. Si alzò a sedere sul letto.

– Partigiana combattente. Stavo in montagna, a Monte Sole, ho fatto la battaglia di Porta Lame, sono entrata in città il 21 sopra un carro armato, ho una foto con altre ragazze, tutte col mitra… ma perché voi uomini date sempre tutto cosí per scontato?

Prese le calze dalla sedia, sentendole tra le dita, poi cominciò a infilarsene una. De Luca avrebbe voluto dire qualcosa ma Claudia non gliene lasciò il tempo.
– Donna, quindi staffetta. Scura, quindi africana. Ad Asmara ci sono soltanto nata, sono venuta qui che avevo due anni e mezzo, quando il signor Paride è tornato in Italia perché era morta mia madre. Sono venuta su a lasagne, mortadella e tortellini e si sente anche quando canto in inglese, eppure sai quanti sono a dirmi *Però, signorina, parla bene l'italiano?* A parte quelli che mi chiamano Faccetta Nera.

Non era arrabbiata, sembrava delusa. Alzò un piede sulla sedia per agganciare una calza, poi quell'altro, raddrizzando il triangolo nero sul tallone.
– Avrei tante domande da farti... – disse De Luca.
– Su cosa? Sull'Abissinia o sulla guerra? Di solito i jazzisti esistenzialisti mi chiedono se ho mai ammazzato nessuno. Dico che non lo so, sparavamo in gruppo, può darsi...
– Claudia! – De Luca sí, era arrabbiato. – Ho quarant'anni, la conosco anch'io la guerra, va bene? Non me ne importa niente. Sto indagando sulla morte del professor Mario Cresca.

Claudia prese il pacchetto di sigarette e se ne accese una. Si sedette, le gambe conserte, il piede sospeso che si contraeva dentro il nylon della calza, nervoso.
– Aldino, – disse De Luca. Claudia fece una smorfia.
– Invidioso, cattivo, non mi è mai piaciuto. Mi tiene nell'Alma Mater perché fa chic averci la negretta che canta, come le orchestre americane, neanche la Magistratus ce l'ha. Con Mario, però, erano molto amici, fin da bambini –. Tossí e si tolse dalle labbra un filo di tabacco.
– Dio santo, – mormorò, – mi hai fatto fumare le Nazionali.
– E con la moglie? Aldino e Stefania Cresca.
– Si odiavano. A parte che lei odiava tutto quello che faceva Mario, il jazz soprattutto, noi, me, figurati. La

stronza –. Si chinò ad allentarsi la calza sulla punta del piede perché lo aveva contratto cosí tanto che la trama si era impigliata in un'unghia.
    – C'è qualcosa di particolare che ricordi? Qualcosa che possa essermi d'aiuto.
    – No. Scoprirai chi ha ammazzato Mario?
    De Luca annuí, senza esitare. – Sí, lo scoprirò. È il mio mestiere.
    Claudia si infilò le scarpe. Aprí la bocca della stufa e ci gettò dentro la sigaretta. – Sono stanca. Se davvero vuoi accompagnarmi andiamo.
    De Luca si alzò, allacciandosi la cintura dei calzoni. Si accorse che Claudia lo guardava, di nuovo, il labbro tra i denti, ma senza sorridere questa volta. Poi si avvicinò e lo baciò sulla bocca. Un bacio lento, dolce e intenso.
    – Chimica? – chiese De Luca, ma lei scosse la testa.
    – È che per un momento mi hai ricordato Mario. Come lui, perso, inquieto...
    – Affascinante? – disse De Luca cercando di smussare quella punta di gelosia che lo raschiava dentro.
    – No, – disse lei. – Disperato.

    Però, quando arrivarono al parcheggio dei taxi e De Luca le aprí la portiera dell'unica 1400 verde parcheggiata in mezzo alla neve, e le disse anche che l'avrebbe accompagnata fino a casa, lei lo fermò mettendogli una mano sul petto per impedirgli di entrare, ma poi lo prese per la nuca e lo baciò forte come la prima volta, e cosí a lungo che il tassista cominciò a tossicchiare tra i guanti.

Claudia.
Lo aveva detto davvero? O lo aveva soltanto pensato, risucchiato dal sonno come una spirale di fumo alla rovescia, un brandello di corpo dietro l'altro a friggere intorpidito nell'aria fredda del mondo reale. Stava sognando di essere steso in mezzo all'erba, supino, sotto un mulino a vento, con le pale che giravano e lo colpivano sul petto, ma piano, senza fargli male, solo fastidio. Invece era Giannino che lo spingeva con le punte delle dita, per svegliarlo.

– Ingegnere? Per favore, ingegnere...

De Luca si alzò a sedere di scatto, strappandosi la coperta con un sospiro forte come un gemito.

– Piano, piano, ingegnere... sono io.

A De Luca ci volle qualche istante per riprendersi. Si passò la lingua sulle labbra secche, mettendo a fuoco Giannino che annusava uno dei due bicchieri che stavano sul tavolo accanto al pacchetto di sigarette e alla bottiglia di Strega. Il sorrisetto ironico che aveva all'angolo della bocca e la luce divertita negli occhi gli fecero pensare che forse l'aveva detto davvero il nome di Claudia.

– Che ci fai qui?

– Ho bussato tanto, ingegnere. Non riuscivo a svegliarla.

– Che ci fai qui dentro.

– Mi ha aperto il portiere con il passe-partout. Gli ho detto che credevo stesse male –. Giannino si strinse nelle spalle. – Ma non ce n'era bisogno. Perché crede che l'abbiano messa qui, ingegnere? L'albergo è nostro.

De Luca controllò l'orologio che aveva ancora al polso, si era addormentato praticamente vestito. Erano le sei del mattino.

– È successo qualcosa?

– È arrivato il capo. Il commendatore. È di passaggio da Bologna e ci aspetta al bar della stazione. Non mi guardi cosí, ingegnere, io sono partito da Firenze che era notte.

Non lo stava guardando in nessun modo, stava solo riflettendo.

– Aspettami fuori, mi vesto e arrivo.

Giannino uscí dalla stanza. Sulla soglia disse *Passato bene il Natale, ingegnere*, ma non era una domanda e, da come sorrideva apertamente, De Luca capí che sí, l'aveva proprio detto forte il nome di Claudia.

Il bar della stazione era vuoto, a parte loro e un cameriere che sonnecchiava, dietro il bancone. Anche le decorazioni natalizie sembravano dormire, cosí flosce e appannate.

– È nostro anche questo? – disse De Luca, perché sembrava quasi che l'avessero aperto apposta, ma il commendatore era troppo occupato a succhiarsi la crema di un Krapfen dalle labbra per averlo sentito.

Il commendator D'Umberto era un uomo imponente, con un paio di grandi occhiali da vista che gli facevano gli occhi rotondi dietro le lenti spesse. Si era tolto il cappello, il cappotto e la giacca per stare piú comodo, e nonostante si sporgesse in avanti, i gomiti aperti e la pancia schiacciata contro il tavolino di formica bianca, aveva lo stesso la cravatta coperta di zucchero.

– De Luca, ragazzo mio, siediti e prenditi un cappuccino. E prendine uno anche te, – disse a Giannino, che annuí e si appoggiò al bancone, visto che non era stato invitato al tavolino.

– Preferirei un caffè, – disse De Luca, ma il commendatore aveva indicato il cappuccino che aveva davanti e aveva alzato le dita a *v*, per ordinare al barista di farne altri due.

– Lo sai come la chiamano, qui a Bologna, la bomba? Bombolone! È proprio lo spirito bolognese... bombolone! – Lo disse gonfiando le guance, con una risata grassa che finí in un colpo di tosse. – Prendine uno, ragazzo mio, e prendine uno anche te, – a Giannino, – anzi, guarda, ne prendo un altro anch'io, – tre dita alzate.

De Luca rinunciò a dire che non lo voleva, il commendatore non lo avrebbe ascoltato e infatti stava continuando a parlare.

– Vado su per una rogna, sai quella ragazzotta che hanno trovato morta giú da noi, a Torvaianica, Wilma Montesi –. No, De Luca non sapeva, ma non aveva importanza e non lo disse neppure. – La guagliona si è sentita male a una festa con gente importante, qualche sciroccato l'ha scaricata in spiaggia ed è annegata, vabbe', ma sta diventando una cosa antipatica e c'è gente a Milano che devo vedere e a me mi scassa sempre la uallera fare il viaggio di notte, con la cuccetta, sai che mal di schiena, – mano dietro e sguardo sofferente, – però questa sosta qui mi ha rischiarato la giornata, ragazzo mio, perché di bombe cosí... no, di bomboloni, – ne prese uno dal piatto che il cameriere aveva messo sul tavolino, – non ne avevo mai mangiati prima, sono i migliori di tutta Italia, complimenti! – E batté le mani al cameriere, piano, le dita di una contro il fondo del palmo dell'altra, per non schiacciare il bombolone.

– Ti devo ringraziare, figlio mio, – disse a bocca piena.

– Perché? – chiese De Luca.

– Perché ho fatto questa sosta a Bologna proprio per vedere te. Che mi dici della signora Cresca? A che punto stiamo?

– Siamo a buon punto. Abbiamo diverse piste. Ma c'è una cosa che...

– Chi l'ha ammazzata?

– Ancora non lo sappiamo, però è emerso...

– Hai detto che c'è un sospettato, no?

– Sí, ma...

– Sei il mio cane da tartufi, ragazzo mio, sei qui da cinque giorni, mi aspetto dei progressi, anzi, dei grandi progressi!

Il commendatore aveva finito il suo secondo bombolone. Si pulí le mani dallo zucchero sfregandole assieme, poi le alzò per mostrarle a Giannino, che si affrettò ad avvicinarsi con un tovagliolo.

– Ne abbiamo fatti di progressi, – disse De Luca. – E anche tanti. Uno particolarmente importante. Abbiamo trovato un collegamento tra la morte della signora e quella di suo marito.

Il commendatore guardò il bombolone destinato a De Luca, che stava ancora sul piatto. – Quello è un incidente, – mormorò. – Non ci interessa. Vogliamo sapere chi ha ammazzato la signora.

De Luca prese il bombolone. Non aveva nessuna intenzione di mangiarlo, ma il commendatore gli era stato antipatico fin dal primo momento che lo aveva visto.

– Ci sono prove evidenti che il professor Cresca è stato ammazzato simulando un incidente d'auto, e neanche cosí bene, tra l'altro. Scoprire chi lo ha ucciso è fondamentale per risolvere anche l'altro delitto.

Il commendatore smise di fissare il bombolone che De Luca stava facendo a pezzi con le dita. Guardò il suo cappuccino, intatto e rappreso.

– Non è che preferivi un caffè? – chiese. Fece cenno a Giannino, che tornò al bancone, poi si piegò in avanti, fissando De Luca attraverso le lenti massicce, due occhi rotondi, ingranditi dal vetro, che facevano ubriacare.

– Non ci interessa sapere chi ha ammazzato il professor Cresca, non ce ne frega proprio niente. Vuoi sapere perché, ragazzo mio? Perché lo sappiamo. Siamo stati noi. Il commendatore si tirò indietro, incrociando le mani sulla pancia. De Luca era rimasto cosí interdetto che non si accorse neanche della tazzina di caffè che Giannino gli aveva messo sotto il naso.

– Noi? – disse, roco. – Come, noi... in che senso?

Il commendatore indicò sé stesso, poi fece un gesto circolare con il dito grassoccio che sembrava comprendere tutto, De Luca, Giannino, il bar, Bologna e il resto del mondo.

– Il nostro servizio, – disse, – noi.

– E perché?

– Perché ce l'hanno chiesto gli americani. Lo mangi, quello?

De Luca scosse la testa, istintivamente, e il commendatore prese il suo bombolone.

– Avevano paura che passasse con i russi, – disse, a bocca piena, – o che si facesse troppo gli affari suoi. C'è una guerra, ragazzo mio, la chiamano «fredda» ma è sempre una guerra e i cervelli come Cresca o stanno di qua o stanno di là, perché quelli di qua e quelli di là se li arruolano, li comprano, li ammazzano o se li portano via –. Allungò il labbro inferiore per intercettare una goccia di crema che stava cadendo. – La superiorità tecnologica è fondamentale, ma ha i suoi costi.

– Quindi anche il camionista, – disse De Luca, – cioè, siamo stati... – non riusciva a dirlo, ma il commendatore tagliò corto stringendosi nelle spalle.

– Dettagli.

– E il bambino.

– Un incidente, quello sí, che dispiace a tutti. Comunque, caso chiuso, protocollato, registrato, – batté il pugno sul piano del tavolino, – archiviato. Scordatelo, il caso Cresca, io voglio sapere chi ha ammazzato la signora. E lo sai, ragazzo mio, cosa voglio sapere soprattutto?

De Luca prese la tazzina di caffè perché aveva bisogno di qualcosa di forte. Era cosí sorpreso e smarrito che non riusciva a pensare. Il commendatore si sporse in avanti, inclinando il tavolino.

– Voglio sapere se siamo stati noi a fare anche quello.

De Luca rimase con le labbra aperte sul caffè, senza berlo. Mise giú la tazzina.

– Non capisco, – disse.

– Voglio sapere se quell'omicidio l'ha ordinato qualcuno del mio ufficio, o di un ufficio parallelo, o un ufficio concorrente, i russi, Babbo Natale, – indicò un abete decorato che pendeva in un angolo, – la Madonna o Gesú Bambino –. Sospirò. – Vedi, ragazzo mio, c'è una confusione tra noi, ma una confusione... una volta le cose erano piú chiare, ma adesso con tutte le leggi e le controleggi è diventato un casino... le cose si fanno e non si fanno, gli ordini li dài e non li dài... e ogni giorno c'è un gruppo nuovo che fa quello che gli pare. Tu lo sai com'era, non sei d'accordo che una volta era diverso?

No, pensò De Luca, *era uguale*, ma non lo disse.

– Io lo so che non ho dato quell'ordine. Oddio, ordine non è la parola giusta, non si dànno ordini cosí, mai. Diciamo che io so che non mi sono espresso in tal senso. Neanche l'avevo considerata la signora Cresca. Però, se qualcuno l'ha fatta fuori senza il mio... diciamo beneplacito morale, allora o si tratta di un eccesso di zelo o di qual-

cos'altro che non capisco e che perciò non mi piace, ragazzo mio. Già ci ho questa rogna della Montesi da pensare.
– Perché non glielo chiede?
– Chiedo cosa? A chi?
– Ai suoi... ai nostri. O agli altri uffici. Se hanno dato
il... beneplacito morale all'omicidio di Stefania Cresca.
Il commendatore rise, un'altra risata grassa che si fermò appena prima del colpo di tosse.
– Conosco i miei polli. Hanno detto tutti di no, ma è
normale. Lo sai cos'è la «smentita plausibile», ragazzo
mio, è quando puoi dire sí o no e non c'è modo di sapere
se è vero.
Guardò l'orologio e si alzò di scatto dalla sedia, con un
colpo di reni insospettabile. *Perdo il treno*, disse, mentre
si infilava la giacca e il cappotto, poi *Mettimene un paio in
un sacchetto, che li porto via*, al cameriere, e *In Austria li
chiamano Krapfen*, a Giannino.
A De Luca tese una mano ancora appiccicosa di zucchero.
– Trovami chi è stato, cosí io capisco chi l'ha ordinato e
siamo tutti contenti. Fossero anche i russi, Babbo Natale
o Gesú Bambino. Se no a che mi serviva un cane da tartufi, ragazzo mio?

– Il commendatore parla, parla... ma non sa mica nulla,
ingegnere, nulla di nulla. Krapfen, bombe e bomboloni,
non son mica la stessa cosa, hanno ricette diverse. I bomboloni, poi, non sono neanche di Bologna, sono toscani e non è vero che i piú buoni li fanno qui, i migliori li
fanno a Montespertoli, che guarda caso è in provincia di
Firenze.
De Luca fissò Giannino. L'inizio della frase lo aveva
strappato dai suoi pensieri ma il resto lo aveva lasciato scon-
certato, incerto se arrabbiarsi o ridere. Ridere per dispera-

zione, non per divertimento. Giannino, invece, sembrava non essersi accorto di niente. Guidava rilassato con una mano sola sul volante, praticamente senza meta perché, quando erano saliti in auto dopo aver lasciato il commendatore, De Luca non gli aveva detto nulla, perso com'era a riflettere.

– Giannino, scusa, ma tu come sei finito a fare questo lavoro?

– La spia, ingegnere? Sono figlio d'arte. Mio babbo era nei Servizi di informazione dell'organizzazione Franchi, durante la guerra, col conte Sogno, i partigiani bianchi, badogliani, conosce, no? Magari ne ha anche arrestato qualcuno... comunque, mio babbo ha seguito il conte in diplomazia e a me mi ha fatto prendere nei Servizi. O intendeva *questo* servizio?

No, però gli venne in mente qualcosa che lo interessava di piú del curriculum del suo assistente.

– Perché il commendatore non si fida dei suoi? Che sta succedendo in *questo* servizio?

Giannino si strinse nelle spalle.

– Se non lo sa lei, ingegnere. Io sono solo un sottoposto.

– E io non sono proprio niente. Non mi prendere in giro, io sarò un cane da tartufi, ma tu sei un vero cane bastardo.

Giannino gli lanciò un'occhiata divertita.

– Davvero? Io credevo di essere un cane di razza. Guardi che è un conte anche mio babbo, se veniva a pranzo a Natale glielo presentavo. Ma mi sembra di capire che ha avuto altri programmi, ingegnere.

De Luca chiuse gli occhi e sospirò profondamente. Claudia gli tornò in mente all'improvviso scuotendolo con un brivido che non era di eccitazione.

– Alzo il riscaldamento, ingegnere? Dicono che oggi piove, farà meno freddo.

Poi Giannino abbassò la levetta della freccia e accostò a sinistra, fermandosi piú avanti per non coprire le rotaie del tram. Si girò sul sedile e appoggiò la schiena alla portiera, come De Luca.

– Allora, il commendator D'Umberto ha paura del suo vice, il dottor Elvani, che dirige l'Ufficio operazioni speciali... anche quelle molto speciali, può immaginare quali, ingegnere –. Batté il pugno chiuso contro il palmo aperto con uno schiocco che a De Luca strappò una smorfia. – Il commendatore sa che il dottore ha una gran furia di prendergli il posto. E sono anche due cose completamente diverse. Il commendatore è uomo degli inglesi, il dottore degli americani. Il commendatore è appoggiato dall'onorevole Piccioni, della vecchia Dc, il dottore da Fanfani, di quella nuova. Il commendatore è di Napoli, – dito in giú, – il dottore di Verona, – dito in su.

Giannino rise, ma De Luca restò serio, cosí serio che anche Giannino si rabbuiò.

– Mi è già successo una volta di trovarmi in mezzo a una lotta tra fazioni diverse dello stesso partito, – disse De Luca, – e per poco non ci lascio la pelle.

– Sí, ingegnere, lo capisco. Non mi piace neanche a me. Che facciamo?

De Luca si strinse nel soprabito perché a stare fermi la temperatura nell'auto si abbassava. Giannino fece per ripartire ma De Luca lo trattenne. In quel momento pensava meglio da fermo.

– Ci concentriamo sulla morte della signora. Il caso Cresca si è risolto da solo, il commendatore l'ha ordinato a questo Elvani che l'ha fatto eseguire a Faccia di Mostro. Movente: fedeltà atlantica. Tu lo sapevi.

Non aveva puntato il dito ma era come se lo avesse fatto. Giannino scosse la testa. Senza esagerare, deciso, con convinzione.

- No. Mi avevano detto di non occuparcene e immaginavo che ci fosse un motivo, ma non lo sapevo.
- Cristo, Giannino! Un ragazzino di dodici anni!
- Non siamo stati noi due, ingegnere. Non sono stato io. Io non c'entro nulla, faccio solo il mio mestiere.

De Luca annuí, deglutendo a fatica. Restò a lungo senza dire niente, la fronte appoggiata al vetro freddo del finestrino, lo sguardo perso sui mucchi di neve. C'era uno slargo dall'altra parte della strada, uomini in sciarpa e cappotto spalavano montagne bianche e compatte contro i muri delle case, raschiando i quadretti di porfido con il filo metallico delle vanghe. Il rumore arrivava fin dentro l'auto, irritante come un graffio su una lavagna. Poi si accorse che Giannino aveva parlato.

- Ho detto perché non gli ha raccontato di Faccia di Mostro.
- Perché molto probabilmente è un uomo di Elvani e se gli avessi detto che stava anche a casa di Stefania Cresca il commendatore avrebbe fatto due piú due e chiuso l'indagine.
- Appunto –. Giannino allargò le braccia, incassando la testa tra le spalle.
- Questa è la mia indagine, decido io quando si chiude e sarà quando scopriremo chi ha ucciso Stefania Cresca, come e perché. Non lo so se è stato Faccia di Mostro, ci sono troppe cose che non tornano.

Faceva davvero freddo. De Luca fece un cenno a Giannino, che tirò lo starter e girò la chiavetta per mettere in moto.

- Glielo ripeto, ingegnere: che facciamo?
- Abbiamo due piste. Una è Faccia di Mostro. Dobbiamo scoprire chi è. Lo puoi fare un controllo tra gli uomini dell'ufficio di Elvani? Con quella faccia non deve essere difficile individuarlo.

Giannino annuí, battendosi il palmo della mano sul petto, due colpi felpati dal cappotto color cammello.
- L'altra pista è Aldino. E con lui i russi.
- Con quelli non posso farci niente, ingegnere. Con tutti i comunisti che ci sono a Bologna hanno quasi piú diritto loro di stare qua che noi.
- Io però posso avvicinare Aldino. Lui è un musicista e io sono un impresario, no?
- Giusto.
Giannino guardò De Luca come se gli prendesse le misure.
- Con tutto il rispetto, ingegnere, ma l'Alma Mater è una jazz band di universitari figli di papà con la puzza sotto il naso. Si fidi di me, perché sono un figlio di papà anch'io. Lei messo cosí il massimo che sembra è uno sbirro di questura, altro che un impresario. Lo accetta un consiglio?
- Lo accetto.
- La porto da Boni e le rifaccio il guardaroba. Vestito, cappotto, sciarpa, camicia di Fiorini su misura, e anche il cappello da Malaguti. Le scarpe di Roveri possiamo lasciarle stare, ci vuole troppo tempo e vanno bene anche le sue. Poi, magari, si fa anche la barba.
- Va bene. Andiamo.
- Lo sa che ha un curioso concetto del tempo, ingegnere? Andiamo dove? È Santo Stefano, è tutto chiuso, e domani è domenica. O viene a passare il fine settimana a Firenze dai miei o la riporto alla pensione e ci vediamo lunedí.

Si era fatto portare alla pensione.
Era rimasto chiuso nella sua stanza per due giorni, uscendo solo per mangiare qualcosa, perché anche se non ne aveva nessuna voglia si sentiva svenire per la debolezza.
Aveva tre cose in mente, e se le portò anche dentro la notte, a lottare contro un sonno che non c'era.

La prima era quello che aveva detto Giannino.

Che non c'entrava con quello che avevano fatto gli altri.

Che faceva soltanto il suo mestiere. Un altro ufficio, altra gente, altri compiti, altre mansioni, lui no, lui faceva solo il suo mestiere. Neanche dovere, che comporta comunque un'adesione, il suo *mestiere*.

Ecco, l'aveva detto tante volte anche lui, cosí tante che ci aveva fatto l'abitudine.

La seconda era la sua indagine.

Quell'ansia che gli troncava il fiato facendolo bruciare come se avesse la febbre. Sarebbe andato in giro per Bologna, anche di notte, a fiutare le strade come un cane da caccia.

La sua indagine. Il suo mestiere.

La terza era Claudia.

Ma era anche tante cose insieme. C'era la voglia di rivederla che lo turbava con uno smarrimento struggente, c'era un desiderio cosí forte da fargli male e c'era un brivido che un paio di volte lo fece sobbalzare per uno spasmo dei muscoli, incontrollabile. Non era eccitazione. Era quando gli tornava in mente quello che le aveva promesso.

Scoprirai chi ha ammazzato Mario.

Sí. È il mio mestiere.

Il suo mestiere.

Lo aveva scoperto, chi aveva ammazzato il suo Mario.

Ma non avrebbe potuto dirglielo.

(28 dicembre 1953-3 gennaio 1954)

«Oggi»

Settimanale di politica attualità e cultura, anno IX, n. 53, 60 lire.
All'interno: QUESTI I FATTI CHE HANNO INTERESSATO GLI ITALIANI
NEL 1953: (gennaio) nasce il figlio di Elizabeth Taylor, (febbraio)
ciclone in Inghilterra e Belgio, (marzo) muore Stalin, l'ex regina
d'Egitto Narriman lascia il marito Farouk, (aprile) la principessa
Giuseppina Carlotta del Belgio sposa l'erede del granducato di Lus-
semburgo, (maggio) la spedizione Hunt conquista l'Everest, (giugno)
Elisabetta II diventa regina d'Inghilterra, viene repressa dai sovietici la rivolta di Berlino, (luglio) finisce la guerra di Corea, il mini-
stro dell'Interno sovietico Beria viene arrestato e il capitano Peter
Townsend ha una relazione con la principessa Margaret, (agosto) lo
Scià di Persia e sua moglie Farah Diba tornano in patria, (settembre)
a Siracusa una statua della Madonna piange, (ottobre) nubifragio
in Calabria, (novembre) tumulti a Trieste ancora contesa tra Italia
e Jugoslavia, Gianni Agnelli, nipote del fondatore della Fiat, sposa
la principessa Caracciolo.
Pubblicità: calze di classe, donna di gran classe, CALZE OMSA, ses-
santa aghi.

«Tempo»

Anno XV, n. 53, 56 pagine, 60 lire.
All'interno: FORMA E SOSTANZA NELLA MOSSA DELL'ON. PELLA, è
tempo che la Dc assuma tutte le sue responsabilità per ovviare all'attuale situazione di incertezza • I DUE ASPETTI DELLA «GUERRA DEL PE-
TROLIO», continua la lotta per i mercati e i giacimenti mentre si teme
il prossimo esaurimento delle fonti • SI CELA SOTTOTERRA LA NUOVA
ARMA AEREA SOVIETICA • NILLA PIZZI NON LASCIA LA RADIO, la popola-

re cantante risponde al maestro Angelini spiegando le ragioni per cui
non parteciperà al prossimo festival della canzone a Sanremo.

Pubblicità: CALZE SISI, la cucitura snellisce la gamba.

«Annabella»

Rivista di moda e di attualità femminile, anno XXII, n. 1 , 50 lire.
In copertina: PER LA NOTTE DI CAPODANNO CONSIGLIATO E QUASI OB-
BLIGATORIO IL VESTITO NUOVO E PIÚ FIABESCO POSSIBILE.

All'interno: LA DONNA DELLA SETTIMANA, Marlene Dietrich, l'affascinante, bellissima Marlene dallo sguardo conturbante e dalle gambe perfette • CINQUE VESTITI CON UN'ARIA DI FESTA, assenti scollature
e complicazioni, presenti i tessuti ricchi e fruscianti, lo stile semplice con una punta di eccentricità • LA STAGIONE INCANTATA, è quella
dei balli d'inverno, da quelli importanti con orchestra e camerieri ai
«quattro salti», con il vecchio grammofono.

Pubblicità: prevenite e curate i geloni lavandovi con SAPONE VASE-
NOL e applicando PASTA VASENOL.

«La Settimana Incom Illustrata»

Anno VII, n. 1, 60 lire.

In copertina: VALENTINA CORTESE HA TRASCORSO LE FESTE NATALI-
ZIE CON IL MARITO, L'ATTORE INGLESE RICHARD BASEHART, E IL PICCO-
LO JACKIE.

All'interno: CHE COSA AVVERRÀ NEL PROSSIMO ANNO? GLI ASTRI PRO-
METTONO BENE. Trimestre invernale: disordini interni in Russia e nei
Balcani, rafforzamento della potenza mondiale americana. Trimestre
primaverile: progressi per la causa della pace mondiale. Miglioramen-
to per l'economia europea. Sua santità Pio XII: preoccupazioni per
la sua salute negli ultimi mesi dell'anno. Baldovino re dei Belgi: un
felicissimo matrimonio d'amore.

28 dicembre 1953, lunedí

– È la peggior versione di *When the Saints Go Marching In* che abbia mai sentito, ingegnere... vanno ognuno per conto suo.

De Luca si tolse il cappello per grattarsi la testa con le dita guantate. Non era abituato a portarlo e lo tenne in mano anche se il vento si infilava gelido sotto il portico, ghiacciandogli le orecchie. Tirò su il bavero del cappotto spinato, solo per ripararsi dall'aria, perché non era abituato a portare neppure quello e cosí vestito sentiva quasi caldo.

C'era uno spazio circolare all'interno della piccola folla che si era radunata in piazza Ravegnana, davanti alle due torri, e l'Alma Mater ci marciava dentro, in cerchio, il trombone davanti, Aldino subito dopo e tutti gli altri dietro. Claudia non si vedeva, ma De Luca sapeva che avrebbe dovuto esserci, da qualche parte, perché le aveva telefonato dall'apparecchio a gettoni nel corridoio della pensione, quella mattina.

E infatti c'era, in mezzo a un gruppo di goliardi con i cappelli a punta nei colori delle varie facoltà. Ne aveva uno anche Claudia, rosso Medicina, preso a uno studente a testa nuda che come gli altri guardava piú lei che la banda che suonava. Quando vide De Luca smise di battere le mani a tempo e agitò un braccio con un sorriso cosí luminoso che ne strappò uno anche a Giannino.

– Oh-oh-oh, ingegnere… non mi dica che miss Nazionali e liquore Strega è la nostra bella abissina.

– Ma dài, – mormorò De Luca, ma Giannino insistette con un colpo di gomito, perché Claudia si era infilata tra la gente e stava arrivando. Cappottino e capelli raccolti sotto il cappello rosso, calze nere e scarpe col tacco, di nuovo diversa dall'ultima volta che l'aveva vista. Solo il sorriso era lo stesso.

Claudia inclinò la testa su una spalla per squadrarlo meglio. – Mi piacevi di piú prima, – disse.

– Grazie.

– Non importa, vai bene lo stesso. Ne avremo ancora per poco prima che arrivino i vigili a cacciarci via. È la festa di compleanno di uno degli amici goliardi di Aldino, dopo ci si ritrova in pochi intimi a casa sua, sta qua vicino.

– E siamo invitati anche noi?

– Sí. Questa cosa dell'impresario gli ha fatto brillare gli occhi. Oh, però, non farmi fare brutta figura… Billy Holiday e Lena Horne, ricorda. Fai parlare lui che se ne intende, te ti fai scoprire subito.

Sfiorò il volto di De Luca con la punta gelida della mano, rapida, ma abbastanza da farlo rabbrividire, e non di freddo. De Luca represse un sorriso, perché si vergognava di Giannino, di cui si sentiva lo sguardo cucito addosso.

– Salgo con voi, se ce l'avete, una macchina.

– Ce l'abbiamo.

Claudia li salutò con un cenno della mano mentre tornava in mezzo alla folla. Giannino prese De Luca per un braccio e glielo strinse, con forza.

– Ingegnere, – sibilò, – è matto? Cosa le ha detto?

– Che siamo investigatori dell'assicurazione.

– Che siamo cosa?

– Indaghiamo sull'incidente, in incognito. Era l'unico modo per mantenere la copertura.

Giannino fischiò, divertito.
– Complimenti, ingegnere, mi sta diventando una vera
spia. E la bella abissina ci aiuta?
– Anche lei pensa che non sia un incidente, crede che
c'entri la moglie di Cresca e... sí, insomma, ci aiuta.
De Luca si calcò il cappello sulla testa, perché comincia-
va a non sentirle piú, le orecchie. Cercò Claudia in mezzo
alla folla sotto le due torri ma continuava ad avvertire su
di sé lo sguardo di Giannino.
– Che c'è? – chiese.
– Faccetta Nera non crede che si tratti di un incidente?
– No.
Voleva dirgli di smetterla, di non chiamarla cosí, ma
aveva capito che Giannino lo aveva fatto apposta, per pro-
vocarlo, e non voleva dargli soddisfazione. Sapeva anche
dove voleva andare a parare.
– Pensa anche lei che lo abbiano ammazzato?
– Sí.
– Allora immagino che alla fine vorrà sapere chi è stato.
De Luca non disse niente. Giannino fischiò di nuovo,
sempre divertito.
– Auguri.

Anche casa di Aldino era una mansarda, piú grande di
quella di Cresca e arredata molto piú lussuosamente, diva-
ni, poltrone, tappeti sul pavimento di legno e una grande
finestra che dava su piazza Maggiore.
– Sa come lo chiamano quel rialzo al centro della piazza, ingegnere? Il Crescentone, che è una specie di pizza
rotonda. Pensano sempre a mangiare, qui a Bologna.
De Luca si era tolto cappello e cappotto e si era allen-
tato la cravatta. La barba non se l'era fatta e cosí sciupa-
to, cosí magro, anche se era comunque il piú vecchio, non

stonava tra tutti quei ragazzi abbandonati sui cuscini e sui tappeti, con un bicchiere in mano, la sigaretta tra le dita e l'espressione il piú possibile annoiata e maledetta, da esistenzialista. Che cambiò all'improvviso, sui volti di tutti, quando dalla cucina dietro il salone arrivò l'odore caldo e forte del ragú delle tagliatelle.

– Sí, è vero, – disse De Luca.

Avevano cucinato le ragazze. Anche Claudia, che uscí con una zuppiera di pasta fumante, la buttò sul tavolo e raggiunse De Luca sulla poltrona davanti alla vetrata. Si sedette sul bracciolo e si tolse le scarpe con un sospiro.

– Ahi, ahi, ahi… non ne potevo piú.

Claudia tirò su le ginocchia e per un momento De Luca pensò che avrebbe disteso le gambe sulle sue. Si contrasse nella poltrona, imbarazzato ed eccitato allo stesso tempo, ma Claudia si fermò al bracciolo, le gambe piegate quasi sotto il corpo, lisciandosi il vestito nero per coprire le cosce. Però sorrise, perché sembrava essersene accorta.

– Ti porto da mangiare?

– No, grazie.

– Le tagliatelle le ho fatte io con le mie manine. Ho tirato dodici uova di pasta –. Mostrò la farina che aveva tra le dita e De Luca sorrise.

– No, grazie.

– Allora ti porto da bere.

Claudia scese dal bracciolo e saltò sulle punte dei piedi scalzi fino al tavolo dove stavano alcune bottiglie di vino. Giannino si appoggiò allo schienale della poltrona e si chinò su De Luca.

– Auguri, – sussurrò ancora, poi indicò Aldino, che se ne stava seduto in disparte, sul pavimento, in un angolo, soffiando piano dentro il sassofono. – Che si fa? Lo chiamo?

De Luca scosse la testa. – Viene lui. Sta facendo un po'
il sostenuto ma si vede che muore dalla voglia di parlarmi.
Mi ha guardato un sacco di volte, di nascosto.

Era vero. Claudia tornò con due bicchieri di vino rosso,
uno per De Luca e l'altro per Giannino, si sedette sul bracciolo e quando se ne andò di nuovo, perché De Luca le aveva
chiesto di farlo, Aldino si alzò subito dal suo angolo e si avvicinò, dondolando il sax lungo il fianco, come una pistola.

– So che siete grandi esperti di jazz, – iniziò. – Aldo
Scaglianti, piacere. Allora, che ne dite dell'Alma Mater?
Sinceramente, davvero... come vi sembriamo?

De Luca lasciò parlare Giannino e intanto fissava Aldino, che annuiva con forza, mentre Giannino diceva *Lester
Young*, *Coleman Hawkins* e *big band americane*. Osservò
quel volto da bambino, liscio e rotondo, piccoli occhi azzurri sotto il ciuffo biondo, le mani strette attorno al sax,
piccole anche quelle. La cravatta slacciata sul collo aperto
della camicia bianca, con le maniche arrotolate sulle braccia. Sembrava tutto costruito, studiato allo specchio, tutto tranne quel sorriso, Coleman Hawkins, Lester Young,
quello era vero.

– No, ecco, Art Pepper! L'Art Pepper italiano!

– Sul serio? – disse Aldino, con la voce che gli si alzava
per l'eccitazione. – Lo pensavo anch'io, davvero!

C'erano due domande che De Luca avrebbe voluto fare ad Aldino, e se fosse stato tutto come una volta gliele
avrebbe sparate addosso dopo averlo convocato nel suo
ufficio, seduto su una sedia scomoda da questura e magari con due agenti in divisa ai lati.

Quali erano i suoi rapporti con quell'agente dei servizi segreti sovietici. E perché lui e Stefania Cresca si erano
sentiti telefonicamente nove volte il giorno della sua morte
e quelli prima.

Ma non poteva farlo. Quando stavano ancora di sotto, seduti tutti e tre in macchina con Claudia in mezzo, Giannino gli aveva chiesto quale sarebbe stata la strategia. Poliziotto buono e poliziotto cattivo?

«Hai visto troppi film americani», aveva detto De Luca, e poi gli aveva spiegato come fare.

Cosí aspettò che Giannino continuasse ad adulare Aldino e quando ritenne che fosse sufficientemente vulnerabile tossí nel pugno chiuso per attirare l'attenzione.

– Noi lavoriamo molto con i teatri, – disse. – Tournée, singoli concerti, quello che si può. Magari quando non ci sono gli esami...

– Quelli si rimandano, e anche io con la farmacia posso...

– Noi lavoriamo molto all'estero...

– Benissimo, abbiamo quasi tutti il passaporto e chi non ce l'ha...

– Noi lavoriamo molto con i Paesi dell'Est. Cecoslovacchia, Ungheria, anche Berlino Est...

Il sorriso di Aldino si appannò, stringendosi agli angoli.

– È un problema? Abbiamo tutti i permessi e poi, insomma, siamo a Bologna...

– No, no, certo...

– In Russia, andiamo anche in Russia. C'è un bellissimo circolo del jazz, a Mosca.

De Luca lo aveva detto fissandolo negli occhi, ma Aldino aveva abbassato subito lo sguardo. Il sorriso era rimasto, ma adesso era cosí teso e fermo da sembrare anche lui finto.

– Sí, naturale... non so, ne parlo con gli altri.

– Sempre che non sia troppo presto parlarne. Voglio dire, avete subito due lutti, lei in particolare, due amici, no? Il professor Cresca e sua moglie Stefania...

– Con Mario ero molto amico, Stefania la conoscevo appena, – disse Aldino, in fretta. Non sorrideva piú.

In quel momento Claudia cominciò a cantare. C'era un ragazzo nero seduto per terra, e lei era in piedi accanto a lui. Il ragazzo suonava l'armonica a bocca e Claudia cantava lenta e ispirata, ma sorrideva, come la gente accanto a lei, qualcuno rideva anche.

– Blues, – disse Giannino, – anche se non riesco a capire le parole... che lingua è? Abissina?

– Bolognese, – disse Aldino, freddo. – È una versione in dialetto che si è inventata lei.

– Ecco, – disse De Luca, – lei è molto brava.

– Claudia non è proprio parte della banda, – disse Aldino, sbrigativo, come se stesse pensando ad altro, – canta in una filuzzi locale.

– Però è brava, – insistette De Luca.

Aldino si strinse nelle spalle. Guardava verso una porta chiusa, accanto a quella della cucina. – Sí, vorrebbe fare un disco... con permesso, scusate.

Si allontanò in fretta e De Luca fece un cenno a Giannino, che si era già mosso per seguirlo. C'erano due ragazzi alti e dinoccolati che ridevano forte, uno, era il piú alto, portava un paio di bretelle e le stringeva come se ci si volesse aggrappare. Aldino ci passò in mezzo e li spinse tutti e due, da una parte e dall'altra, e loro cercarono di ridere piú piano, senza riuscirci. Poi si avvicinò al tavolo e si versò un bicchiere di vino. Lo finí in fretta e ne prese un altro. Sembrava pensare e intanto si mordeva le labbra.

Giannino si era fermato a parlare con i ragazzi che ridevano e rideva anche lui, ma non lo perdeva d'occhio. Quando Aldino aprí la porta ed entrò in quella che sembrava una camera da letto Giannino spinse i ragazzi da quella parte, socchiuse la porta toccandola con la spalla e rimase a scherzare con loro accanto allo spiraglio.

Bravo, pensò De Luca, che aveva seguito tutto. Proprio bravo, il ragazzo.

Non si era accorto che Claudia era tornata finché non ne sentí il peso sul bracciolo della poltrona. Aveva un bicchiere di vino anche lei.

– Ascolta, – disse De Luca, – non ti possiamo accompagnare a casa, abbiamo provocato Aldino e sembra che stia funzionando. Se succede qualcosa dobbiamo seguirlo. Mi dispiace.

Claudia si strinse nelle spalle mentre beveva un sorso di vino.

– Non c'è problema. Mi faccio accompagnare da Louis.

– Louis?

Claudia indicò il ragazzo nero che si era unito ad Aldino e agli altri due.

– Ah, – disse De Luca, poi aggiunse *Va bene*, perché lo aveva sentito anche lui che suonava strano, affrettato e un po' cattivo. Lo aveva sentito anche Claudia, che sorrise.

– Sei geloso?

– Ma dài...

– Sei geloso perché è giovane e carino o perché è un negro anche lui e pensi che ci sia qualcosa?

– Ma dài, Claudia... – era la prima, e forse c'era anche un po' della seconda, ma non lo disse. *Ma dài*, ripeté. Claudia ridacchiò dentro il bicchiere, mentre beveva. Il vino le lasciò un'ombra rossa sopra il labbro e a De Luca venne fortissima la voglia di baciarla.

– Speravo di stare con te, dopo.

– Anch'io, – e gli era scappato anche questo. – Ma non so quando potremmo finire. Magari non succede niente. Vedremo.

Claudia finí il vino. Poi si mosse, sollevò le ginocchia oltre il bracciolo e mise le gambe su quelle di De Luca, una di traverso sulle sue e il piede nudo dell'altra appoggiato sulla coscia di lui. Lo aveva fatto con naturalezza, e anche senza malizia, sembrava, ma sorrideva all'angolo delle labbra, e lo stava guardando negli occhi. De Luca si irrigidí, cercando di non trasalire troppo visibilmente.

– Ehi... guarda che ci vedono.

– E allora? A parte un paio di persone non me ne frega niente di quelli che sono qui, anzi. Pensino quello che vogliono, lo pensano già.

Claudia mosse le dita del piede sotto la trama scura delle calze e De Luca si irrigidí di nuovo. Aveva paura che si spingesse piú in su, paura e desiderio, allo stesso tempo, ma Claudia voleva solo appoggiarsi meglio.

– E poi mica stiamo facendo niente.

De Luca pensò che l'altra notte era cominciata piú o meno cosí e il desiderio di accarezzarle le gambe divenne talmente forte da fargli venire la nausea. Poi Claudia disse *Ho voglia di una sigaretta*, e si alzò, lasciandolo da solo, avviluppato attorno a quel desiderio che sembrava affossarlo dentro la poltrona.

Per distrarsi osservò Giannino che sbirciava dentro lo spiraglio della porta socchiusa e che appena se ne accorse portò rapidamente il pugno verso la guancia, pollice all'orecchio e mignolo alla bocca, per dire che Aldino stava telefonando.

De Luca annuí e fece scivolare lo sguardo lungo la stanza, con falsa noncuranza, come per caso, ma non riuscí a scorgere Claudia. Le sue scarpe erano ancora accanto alla poltrona e si sorprese a sperare di vederla tornare lí, al suo bracciolo, da lui.

Non tornò.

Come previsto poco dopo Aldino cominciò a buttare fuori tutti, nonostante le proteste e le tagliatelle rimaste.

De Luca e Giannino uscirono tra i primi e si infilarono dentro l'Aurelia parcheggiata in piazza Maggiore, davanti a San Petronio. Avevano sistemato l'auto in modo che puntasse verso la casa di Aldino, nascosta comunque dietro una giardinetta, e dal parabrezza videro la gente uscire dal portone del palazzo, anche Claudia col ragazzo nero.

Giannino avrebbe voluto dire qualcosa, si capiva da come aveva cominciato a sorridere, ma non fece in tempo, perché Aldino aprí la finestra che dava sulla piazza e si affacciò, nonostante il freddo, sporgendosi per guardare da una parte e dall'altra.

Lo fece altre tre volte, a breve distanza di tempo, poi, l'ultima, chiuse subito la finestra come se avesse visto quello che cercava.

Era la Topolino nera che De Luca e Giannino avevano già visto davanti al Modernissimo, qualche sera prima, alla fine del concerto dell'Alma Mater. Aldino ci era salito di corsa assieme a quello che Giannino aveva chiamato *la tartaruga pelata*.

– Tombola, ingegnere, – sussurrò Giannino. – È arrivato Giorgini la spia. *Dasvidania tovarish*, – e alzò anche il pugno chiuso. – Che facciamo?

– Niente. Aspettiamo che partano e li seguiamo.

Non partirono. Aldino uscí dal palazzo, si guardò attorno e raggiunse la Topolino ferma sul Crescentone di piazza Maggiore, in disparte dalle altre macchine parcheggiate. Salí dentro, ma l'auto rimase lí. Dall'Aurelia De Luca e Giannino vedevano le sagome inquadrate dal lunotto posteriore della Topolino. Sembravano discutere, animatamente. Il vetro cominciava ad appannarsi, rischiarato solo per un attimo da un bagliore rapido, come se qualcuno si fosse acceso una sigaretta.

– E adesso? – chiese Giannino.

– Dobbiamo riuscire ad avvicinarci per sentire quello che dicono.

– Ci penso io.

– Non farti beccare. Passa dietro le altre auto.

Giannino aprí la portiera ma in quel momento Aldino uscí dalla macchina. Tornò a casa in fretta, senza voltarsi indietro, e scomparve dentro il portone.

– E adesso?

– Piantala. Appena la Topolino riparte, io la seguo e tu resti qui a vedere cosa fa Aldino.

– Con questo freddo? Vuol farmi morire, ingegnere?

De Luca non gli rispose. Gli fece cenno di spostarsi e Giannino si sollevò sul sedile perché De Luca gli scivolasse sotto fino al volante, pronto a partire.

La Topolino, però, non si mosse. La sagoma di Giorgini era immobile al posto di guida, come se aspettasse qualcosa.

– Magari Aldino torna giú e vanno via assieme, cosí non mi congelo qua fuori, ingegnere. Che dice, sarà andato a prendere una cosa...

Ma Aldino non scese. Lo videro una volta affacciarsi alla finestra, con il vetro chiuso e le luci spente, solo una sagoma, anche lui.

– C'è qualcosa che non torna, – disse De Luca.

Il vetro posteriore della Topolino non era piú appannato. Giorgini si vedeva chiaramente, appoggiato alla portiera, questa volta come se dormisse.

– Lo sai quando si appannano i vetri di una macchina? – chiese De Luca.

– Quando si respira.

– Appunto.

Uscirono insieme e si avvicinarono alla Topolino, uno da destra e l'altro da sinistra. Giannino aveva anche tirato fuori la pistola, che teneva lungo il fianco, nascosta dietro la coscia. Il lato di De Luca era quello di guida. Vide subito che nella capote c'era un buco, slabbrato e rotondo. E quando aprí la portiera il corpo di Giorgini scivolò fuori, all'indietro, restando per metà sul sedile, le braccia aperte come in croce. Aveva un foro piú piccolo al posto del labbro superiore e uno piú grande dietro il cranio pelato, poco sopra la nuca. In mano, col dito ancora nel ponticello e il polpastrello contratto sul grilletto, aveva una piccola automatica con un lungo silenziatore avvitato sulla canna.

– Maremma maiala! – disse Giannino. Non sembrava sconvolto, solo sorpreso. – Aldino ha ammazzato Giorgini!

– Sta' attento se arriva qualcuno, – disse De Luca, poi si inginocchiò, chinandosi sul corpo di Giorgini. Gli tastò il petto con la punta delle dita, inserí la mano sotto la giacca e tirò fuori il portafoglio, che mise in tasca. Fece per prendere la pistola ma si fermò perché non aveva i guanti. La indicò a Giannino, che se la infilò in tasca, e gli indicò anche il cruscotto. Giannino lo aprí e tirò fuori un fascio di carte arrotolate, tenute insieme con uno spago. In tasca anche quelle. C'era il libretto dell'auto, nel cruscotto, De Luca glielo fece prendere poi disse *Andiamo via*, perché aveva visto un metronotte in bicicletta, ancora lontano, sotto il portico del Pavaglione, ma stava puntando dritto su di loro.

Prima di salire sull'Aurelia, mentre Giannino metteva in moto, De Luca lanciò un'occhiata alla finestra di Aldino e lo vide, una sagoma nel buio, schiacciato contro il vetro, che li osservava.

– Cercavamo qualcosa in particolare?

– No. Abbiamo sottratto un po' di prove a caso per esaminarle, non potendo farlo ufficialmente.

La pistola col silenziatore era una piccola Browning calibro 6.35 e stava già dentro il cruscotto, avvolta in uno straccio. Nel portafoglio di pelle marrone c'erano i documenti di Giorgini Amleto, nato a Corticella eccetera eccetera, di professione tipografo, e parecchi soldi, sei fogli da cinquemila lire piegati in quattro, che lo imbottivano come un cuscino. Anche quello tutto nel cruscotto. Il fascio di carte arrotolate, invece, era aperto sul sedile a divanetto dell'auto. Erano ricette mediche, in bianco. De Luca ne prese una e la inclinò sotto la luce del tettuccio per studiarla.

– Ha visto di che colore sono, ingegnere? – disse Giannino. De Luca annuí. Erano quelle gialle che servivano a richiedere medicine particolari, come gli stupefacenti.

– Come fa un tipografo ad avere tutte queste ricette? – chiese Giannino, malizioso.

De Luca le arrotolò, legandole di nuovo con lo spago, e aprí il cassettino del cruscotto per gettarcele dentro. Gli tornarono in mente la busta insanguinata trovata nel cestino della mansarda e le lettere impresse sul nastro della macchina da scrivere.

– Direi che le nostre ricerche sul dottor Pirro si restringono a un medico di Bologna, – disse. – E comunque ce lo dirà Aldino, che fa il farmacista e di ricette se ne intende.

– Sa cosa ho pensato appena sono entrato in quella casa, ingegnere? Però, rende bene fare il farmacista a Bologna. Ma è sicuro che avrà voglia di parlarci?

De Luca si strinse nelle spalle. – Probabilmente no. Ma lo farà lo stesso –. Contò sulla punta delle dita: – Lo abbiamo provocato, lo abbiamo visto, e abbiamo anche l'arma del delitto. Sono sicuro che si è trattato di un incidente, quello armato era Giorgini, c'è stata una colluttazione ed è partito il colpo, ma sulla pistola ci saranno anche le impronte di Aldino. O almeno è quello che gli diremo quando lo chiameremo per convocarlo.

Erano parcheggiati in fondo a via Zamboni, abbastanza lontano dalla piazza, ma sentirono ugualmente la sirena di una volante che passava da quelle parti.

– Se non lo arrestano prima. Ma visto come lavorano alla Mobile, ci vorranno almeno un paio di giorni perché colleghino Aldino a Giorgini.

– Benissimo. Che facciamo, allora?

– Troviamo un bar che abbia un elenco e un telefono. E già che ci siamo ci prendiamo anche un cappuccino.

Aldino rispose almeno al decimo squillo. De Luca vide che Giannino li contava con un cenno della testa ognuno, con gli occhi chiusi. Poi all'improvviso li aprí e alzò una mano con il pollice e l'indice uniti in cerchio e le altre dita dritte.

Oltre al cappuccino De Luca aveva ordinato anche una brioche, che divorò in fretta, e nonostante fosse vecchia, rigida e asciutta ne raccolse anche le briciole dal piattino con la punta di un dito. Si era fatto prendere da una fame improvvisa e malata, come gli succedeva ogni tanto, e ne avrebbe mangiata una decina, di brioche cosí vecchie, ma non ce ne erano piú. Allora ripiegò su un brutto panino col salame che finí in un lampo, mentre Giannino si avvicinava raggiante al banco a cui De Luca stava appoggiato.

– Domani alle dieci. Nella cantina che l'Alma Mater usa per fare le prove, ha le chiavi e ci aspetta lí.

– Perché non adesso?

– Perché c'è la polizia in piazza e lui ha paura anche di uscire. È un tipo cosí, Aldino.

– E perché solo alle dieci?

– Perché per lui è mattina presto. Gliel'ho detto, ingegnere, è un tipo cosí. Ha fame? Se vuole la porto in un posto serio. Siamo sotto le feste, ci sono ancora le osterie aperte.

– No, no, non importa... andiamo a dormire. Domat-
tina dobbiamo vederci presto.
– Presto, ingegnere? Gliel'ho detto che Aldino...
– Vieni a prendermi alle sette. È ora di tornare alla
mansarda del professore. Ci andrei adesso, ma è buio e
non si vede niente.

Ma come fanno, pensò De Luca, *come fanno le mosche a infilarsi nelle scene del crimine piú ermeticamente sigillate.* La mansarda dove era stata uccisa Stefania Cresca era come l'avevano lasciata l'ultima volta, porte e finestre chiuse, ma si sentiva ronzare nel buio prima ancora che Giannino accendesse la luce. Volavano sulle macchie di sangue nero e raggrinzito, rasenti al pavimento, e De Luca si chiese anche come facessero a sopravvivere in quel gelo umido, che continuava a puzzare di morte.

Giannino andò a spalancare le finestre senza chiedere il permesso e De Luca non lo fermò, ormai era trascorso abbastanza tempo da far pensare a chi passava fuori che il luogo non fosse piú sigillato. E comunque la luce serviva, quella limpida del sole del mattino ancora di piú di quella opaca delle lampadine.

Si erano divisi i compiti. A Giannino toccava spulciare le carte rovesciate sul pavimento e sul letto, con attenzione, una per una.

– Sappiamo cosa cercare? – aveva chiesto.

– No, – aveva risposto De Luca. – Ma adesso abbiamo abbastanza elementi per capire se troviamo qualcosa di importante.

Per sé, invece, aveva riservato quello piú creativo di immaginare cosa poteva essere successo in quella stanza, e questo lo riscaldava tanto da fargli dimenticare il freddo di un sottotetto a dicembre, anzi, quasi lo faceva sudare, ansimando piano tra i denti.

Lo aveva già fatto, di immaginare l'omicidio di Stefania Cresca, ma questa volta avrebbe sostituito Aldino a Faccia di Mostro.

Cosí chiuse la porta d'ingresso e ci si piazzò davanti, a braccia conserte, al centro di una linea spezzata che arrivava fin dentro al bagno, alla sua sinistra, fino alla vasca. Immaginò Aldino che bussava e lei che lo faceva entrare senza problemi anche se aveva fatto o stava per fare il bagno, visti i loro rapporti e le telefonate assidue degli ultimi due giorni. Che Aldino ce l'avesse lui, una chiave della mansarda, non cambiava molto.

Immaginò Stefania Cresca nell'accappatoio del marito trovato in quel trappolone da scapolo dove ci sono ancora le sue cose da uomo, quelle che odia di piú le ha buttate via, i preservativi nel cestino del bagno, i dischi di jazz fatti a pezzi, ma c'è dovuta andare di corsa in quell'appartamento, a nascondersi, chissà da chi e perché.

Bella donna, alta, i capelli rossi bagnati, scalza. Aldino davanti a lei, biondino, bassetto, la faccia da bambino e quelle mani piccole.

A un certo punto, immaginò, succede qualcosa, e si voltò verso l'angolo in cui si trovava la macchina da scrivere. Aldino la colpisce in faccia con la cornetta del telefono, le gira il filo attorno al collo, glielo stringe con quelle mani piccole, rovescia la sedia, lotta, e poi smette.

La costringe a sedersi al tavolino, a scrivere su quella busta, che poi lei strappa e butta nel cestino. Probabilmente, pensò De Luca, era rimasta su la levetta che porta i tasti a battere piú in alto, sulla banda rossa, e infatti, a guardarci bene, l'asticella di metallo che stava nella guida dentellata sulla sinistra era sporca di sangue.

Altra busta, allora, forse, ma perché proprio lei, seduta alla macchina da scrivere, a picchiare sui tasti? Perché poi deve firmare qualcosa e allora tanto vale che stia lí a scrivere tutto? Mezza strangolata, col sangue che le cola dalla testa e dal naso?

De Luca strinse le labbra in una smorfia dubbiosa, scuotendo la testa. Si mosse e seguendo le tracce insanguinate dei piedi nudi entrò nel bagno, fermandosi accanto alla raggiera di dita impressa proprio sotto la vasca. C'era odore di marcio, e mosche che ronzavano nella penombra, rimbalzando tra le pareti di formica bianca. De Luca accese la luce e immaginò Stefania che entrava di slancio, nuda, l'accappatoio caduto a terra o strappato da Aldino che le correva dietro, magari è lui che la spinge, poi giú, la testa nell'acqua, Aldino che la preme con il suo peso, tutto il suo peso sulla schiena, fino alla fine.

E dopo? Aldino perquisisce la casa, butta per aria ogni cosa, prende quello che è stato scritto a macchina, la busta nel cestino, quasi tutta, ne dimentica un angolo, va bene, ma prende anche i vestiti di Stefania. Perché? Perché è bagnato e sporco di sangue, non può uscire cosí e deve cambiarsi? Vestendosi da donna?

De Luca cercò di immaginarsi Aldino con gli abiti femminili rimboccati addosso e le scarpe da uomo, perché quelle di Stefania erano ancora là davanti all'armadio, se lo vide uscire cosí per via Riva di Reno e la cosa gli sembrò talmente assurda che gli venne quasi da ridere. Forse lo avrebbe fatto davvero, con la voce, anche, se Giannino non lo avesse chiamato.

– Venga un po' qua, ingegnere!

Ci andò e vide Giannino seduto sul bordo del letto, le carte già esaminate ordinatamente disposte in una pila sul pavimento e in mano due foglietti.

Due ricette mediche, dello stesso colore di quelle tro-
vate nell'auto di Giorgini.
– Dexedrina e benzedrina, ingegnere. Sono due anfeta-
mine che aiutano a divertirsi. Vanno parecchio tra i giovani universitari goliardi e debosciati. E i musicisti, naturalmente, soprattutto i jazzisti esistenzialisti.

A De Luca erano tornati in mente i due ragazzi allam-
panati che non riuscivano a smettere di ridere, e anche a
Giannino, perché glieli citò, era andato vicino a loro apposta, l'altra sera, perché gli sembravano strani.
– Sono intestate a Mantovani Stefania e guardi la firma del medico, ingegnere... potrebbe essere quella di un
certo dottor Pirro?

De Luca prese le ricette e si avvicinò alla finestra per
esporle meglio alla luce del sole invernale.
– Non corriamo troppo, – disse, – io vedo solo uno
scarabocchio da medico su un timbro illeggibile. Però sí,
queste sono come le ricette che stavano nel cruscotto della Topolino –. Contò sulle dita, collegandole con la punta
dell'indice come con un filo. Amleto Giorgini, Stefania
Cresca, Aldo Scaglianti.
– È ora che il nostro Aldino ci spieghi un po' di cose.

La cantina in cui quelli dell'Alma Mater si riunivano a
provare stava in un grande palazzo di via Saragozza, poco
lontano dal Collegio di Spagna. Ci si arrivava dopo aver
attraversato un grande cortile alberato nascosto da un pesante portone di legno.

Era una cosa che aveva sempre stupito De Luca fin dai
tempi in cui dirigeva la Buoncostume di Bologna, che a
vederla da fuori, dalle strade, sembrava una città di pie-
tre, sassi e mattoni, la terra di porfido a cubetti e anche
il cielo di intonaco sotto le volte dei portici. Poi si apri-

vano le ante di un portone e apparivano fiori, cespugli e alberi secolari, giardini grandi come piazze, foreste quasi, che attraversavano interi blocchi di case fino alla strada parallela. Aveva sempre pensato che se avesse sorvolato la città con un piccolo aereo, a bassa quota, l'avrebbe visto, tutto quel cuore verde tra i tetti rossi di Bologna. Forse si vedeva qualcosa già dalla torre degli Asinelli, quella piú alta delle due, ma non ci era mai salito.

Quando erano arrivati il portone era chiuso. Avrebbero potuto aspettare fuori, in macchina, ma anche se mancava un po' alle dieci a De Luca non sarebbe dispiaciuto entrare. Piombargli addosso all'improvviso, se era già dentro, o sorprenderlo nel cortile quando fosse arrivato, avrebbe sicuramente spiazzato Aldino, rendendolo piú vulnerabile.

Era un palazzo di lusso, senza portinaio ma con una serie di campanelli collegati da un citofono. Giannino ne suonò alcuni finché il portone non si aprí con uno schiocco metallico. Entrarono in fretta e si nascosero sotto un albero, perché non li vedesse qualcuno dalle finestre che si aprivano sul cortile.

In fondo, oltre una siepe ancora coperta di neve, c'erano due portoncini, spalancati, uno dava su una scala che saliva e l'altro su una che scendeva, e quando li raggiunsero capirono dall'odore umido e forte che il secondo portava alle cantine.

Giannino bestemmiò, la c di cane cosí aspirata che sembrava un gemito.

– Ingegnere, sono proprio una fava. Ho lasciato le ricette in macchina.

– Sí, sei proprio una fava. Valle a prendere. Ti aspetto qui.

Osservò Giannino che si allontanava correndo sulla ghiaia ghiacciata, poi riportò lo sguardo allo scantinato, cercando di penetrare la penombra scura che lo riempiva come una grotta.

Era un corridoio largo, col pavimento lastricato sulla terra battuta, e c'erano porte di legno che si aprivano ai lati, alcune protette da grate di ferro. Quella dell'Alma Mater era una delle prime, lo si capiva dal manifesto del concerto al Modernissimo attaccato al muro accanto allo stipite. De Luca sorrise perché cosí gli era tornata in mente Claudia, ma non voleva farsi distrarre e allora scese i gradini della scala.

Aldino era già arrivato, perché la porta dietro la grata di ferro era socchiusa, ma De Luca non voleva entrare da solo. Due persone fanno sempre piú sbirro di una, lo sapeva bene, e lui voleva proprio spaventarlo, Aldino.

La porta all'altro lato del corridoio era chiusa soltanto dalla grata e si vedeva dentro. De Luca li aveva sentiti ancora prima di girarsi a guardarli, i salami e i prosciutti appesi alle travi del soffitto, tra le bottiglie di vino sistemate a piramide contro il muro. Un attacco improvviso di fame gli contrasse lo stomaco riempiendogli la bocca di acquolina. Come al solito aveva fatto colazione soltanto con il caffè ma adesso il desiderio violento di un panino gli faceva stringere i denti.

Appena finito di interrogare Aldino, si sarebbe fatto portare in una di quelle salumerie del centro, quelle con le affettatrici rosse grandi come ruote di camion, che tagliavano fette di mortadella che sembravano lenzuoli, e infatti quando sentí Giannino alle sue spalle disse *Senti, conosci mica una*, ma non fece in tempo ad aggiungere altro, perché non era Giannino.

Era Faccia di Mostro.

De Luca cercò di prendere la pistola ma arrivò soltanto a infilare la mano nella tasca del cappotto. Potente come una cannonata, il pugno lo raggiuse allo stomaco troncandogli il fiato di colpo e lasciandolo con la bocca spalancata a cercare di ingoiare aria, un attimo prima che il dolore lo piegasse in due. Una botta sulla nuca, secca come uno scapaccione, lo fece cadere in avanti attraverso le porte aperte della cantina, in ginocchio sul pavimento, dove in un conato marrone e schiumoso vomitò il caffè della colazione.

Si aspettava qualcos'altro, di piú, ne aveva paura, di piú ancora, terrore, un terrore che gli impediva di muoversi e di pensare anche piú del dolore pieno e rotondo come una lama che lo spaccava a metà.

Ma non successe niente.

Non avrebbe saputo dire quanto tempo era rimasto lí, in ginocchio sulla soglia della cantina, le mani aperte sui tappeti che ricoprivano il pavimento e la gola che gli bruciava quasi come lo stomaco. A un certo punto sentí la voce di Giannino che lo chiamava, *Ingegnere! Ingegnere!*, dal corridoio, cosí riuscí ad alzare la testa e di colpo si dimenticò del dolore.

Davanti a lui, tra gli strumenti sui trespoli, la batteria sul piedistallo, le fotografie di jazzisti e i manifesti dei concerti appesi alle pareti, c'era Aldino.

Appeso a una trave, con il collo storto da una parte e la lingua fuori dalle labbra, graffiata tra i denti.

Aveva le ginocchia piegate perché con la punta dei piedi toccava per terra.

L'idea del panino con la mortadella era sfumata, bruciata dal reflusso gastrico, dalla visione di Aldino impiccato e da un pensiero che cominciava a farsi strada nella mente di De Luca, eclissando tutto il resto. Ce n'era anche un altro, ma al momento sembrava meno urgente.

Praticamente erano scappati. Le possibilità che qualcuno li avesse visti entrare dopo che avevano suonato il campanello erano alte e non c'era tempo di fermarsi a esaminare l'ennesima scena del delitto, o addirittura rimandare Giannino in macchina a prendere la Leica per fotografare Aldino, come De Luca avrebbe fatto normalmente. Se qualcuno li avesse sorpresi lí, con un altro morto, magari proprio la polizia, sarebbe stata la fine.

Poi c'era quel pensiero.

– Madonna, ingegnere, c'è mancato poco! Se le avesse dato una coltellata invece di un cazzotto! E io non c'ero!

Guidava veloce, Giannino, come se stessero davvero scappando da qualcosa. Nervoso, le nocche bianche da quanto teneva strette le mani sul volante dell'Aurelia. Niente piú sorriso da pubblicità, nessuna ironia, sembrava sul punto di mettersi a piangere.

– Lo sai, Giannino, – disse De Luca, – lo sai qual è il mistero piú grande di tutta questa storia? Sei tu.

– Io, ingegnere?

Era uscito fuori Porta, lungo via Saragozza, e si accostò a un caffè la cui insegna brillava accesa sotto un portico.

– Devo bere qualcosa, – disse.

– Stai cercando di cambiare discorso?

– No, ingegnere. Perché?

De Luca teneva la mano nella tasca del cappotto, sulla pistola, anche il dito sul grilletto. Guardò Giannino fisso negli occhi. Pensò che era incredibile quanto sembrava sincero.

– Come facevano a sapere di Aldino? Come facevano a sapere che ci saremmo incontrati proprio questa mattina? Era davvero alle dieci il nostro appuntamento? E perché te ne sei andato con una scusa, lasciandomi da solo con Faccia di Mostro?

Avrebbe contato le domande sulla punta delle dita, ma non poteva perché impugnava la pistola, spingendola dentro la tasca, verso Giannino. Gli avrebbe sparato attraverso la stoffa del cappotto se avesse fatto il movimento sbagliato.

Giannino invece non fece niente. Sembrava non essersi neppure accorto, della pistola, guardava De Luca con la bocca aperta, sempre piú sul punto di mettersi a piangere.

– Ma... – disse, – ma...

– Non mi prendere in giro. Ti hanno mandato qui per aiutarmi, ti hanno assegnato a me con l'incarico di spiarmi e di sabotare la mia indagine. Che fai, esegui gli ordini? O ti ricattano perché sei...

Alzò la mano libera ma la tenne ferma a mezz'aria, perché l'espressione di Giannino era cambiata. Gli occhi sí, sembravano sempre sul punto di piangere, ma le labbra si erano tese in uno dei suoi sorrisi ironici, non divertito, questa volta, un sorriso di rabbia.

– Perché sono? Perché sono cosa, ingegnere? Un *invertito*? Un *culattone*, un *frocio*, un *sodomita*? La parola che va di moda sui giornali è *capovolto*, a Bologna si dice *busone*, noi a Firenze invece si dice *buco*, – con la *c* cosí aspirata che gli venne da tossire. – Lei come dice, ingegnere? Che voleva fare con quella mano, cosí? – si sventolò il bordo di un orecchio con la punta delle dita. – O cosí? – spingendo in avanti il polso sotto il pungo chiuso, come uno stantuffo, e lo fece cosí forte che prese nel clacson, strappando un colpo di tromba.

De Luca sobbalzò sul sedile e mollò la pistola, perché stava per contrarre il dito sul grilletto. Non si aspettava quella reazione, soprattutto non si aspettava quel tono, cosí non disse niente e restò in silenzio, dando il tempo a Giannino di calmarsi un po'.

– Ma certo che mi ricattano, è ovvio! Non mi avrebbero preso se non fossi stato ricattabile. E lei? Per cosa crede che l'abbiano assunta, ingegnere, solo perché è bravo? L'hanno presa perché possono tenerla per le palle, come me! E guardi che non è un doppio senso. Sorriso ironico, però di rabbia, perché si era calmato ma solo un po'. De Luca continuava a stare in silenzio. Abbassò gli occhi.
– E poi è ovvio che mi hanno incaricato di spiarla, Madonna bona, ovvio! Non si fidano di lei, perché dovrebbero? Il commendatore me l'ha detto chiaro e tondo, riferiscimi tutto quello che fa il commissario, stagli attaccato al culo, e questo non lo so se era un doppio senso –. Niente piú sorriso. – Solo che non l'ho fatto! Gli ho raccontato il minimo indispensabile, le scoperte piú banali, e da qualche giorno non mi sono piú fatto sentire. Aldino all'inizio faceva parte del minimo indispensabile, non sembrava cosí importante, ma non gli ho detto di Faccia di Mostro, non gli ho detto dei russi, non gli ho detto delle ricette. E non gli ho detto della ragazza. E lo sa perché, ingegnere?
De Luca scosse la testa, anche se era ovvio che Giannino non si aspettava una risposta. Infatti continuò, di slancio.
– Perché lei mi piace. Nel senso che mi è simpatico. Non si metta in testa strane idee, ingegnere, non è il mio tipo, è troppo magro e troppo vecchio. Però mi è simpatico, e mi fa tenerezza, e poi sono curioso anch'io di sapere chi è stato ad ammazzare la tipa, sembra un romanzo giallo. E, se mi permette il francesismo, sono stanco di essere tenuto per le palle e per una volta vorrei essere io a metterglielo nel culo, a quelli, – e aggiunse *Scusi il doppio senso*, ironico e anche un po' divertito.

– Ma allora come facevano a sapere che questa mattina... – iniziò De Luca, ma si fermò subito, perché sapeva
già la risposta.

– Il telefono, – disse Giannino. – Lo sa meglio di me,
ingegnere, il mio babbo mi dice sempre che ai suoi tempi,
e intendo i suoi di lei, ingegnere, quanti erano gli italiani sotto intercettazione? Be', oggi magari sono meno, ma
non sarà cosí diverso. Siamo stati due fave a chiamarlo a
casa, l'Aldino.

Sí, pensò De Luca, *sí*, e si sentí molto stupido. Aveva
chiamato Claudia dal telefono della pensione, forse ascol-
tavano anche quello.

– Andiamo, – disse, tirando la levetta della maniglia
per aprire la portiera. Sapeva che gli avrebbe bruciato lo
stomaco fino alle lacrime, ma aveva bisogno di un caffè.

Giannino prese una sambuca, che sorseggiò piano, perché ormai la voglia di bere qualcosa di forte gli era quasi
passata.

– Sa, ingegnere, – disse con un sorriso che adesso non
era piú di rabbia, ma neanche ironico, soltanto un po' triste, – lo capisco che non si fidi di me, nel nostro mondo
nessuno si fida di nessuno, ci mancherebbe, è normale.
Quello che mi dà noia è che abbia pensato che volessi farla ammazzare. Glielo giuro, le avevo dimenticate davvero
quelle ricette in macchina.

De Luca annuí. Non era bravo a parlare di certe cose come chiedere scusa o esprimere i sentimenti. Finse che non
fosse successo niente, come faceva di solito in certi casi.

Cosí represse un rigurgito di caffè dallo stomaco ferito,
strinse i denti e disse: – So chi è Faccia di Mostro.

– Hans Helmut Hase, – disse Giannino, e De Luca aggiunse: – Detto il Tedesco.

Appena gli aveva raccontato di aver riconosciuto Faccia di Mostro e aveva accennato a chi avrebbe potuto essere, Giannino aveva schioccato le dita. Poi si era fatto dare dal barista una manciata di gettoni e si era attaccato al telefono appeso al muro accanto alla porta del bagno. Adesso che era tornato giocava con uno dei dischetti bronzo scuro che gli erano rimasti, lo faceva roteare sul piano del tavolino con un rumore sottile e fastidioso, che urtava i nervi. Ma De Luca era troppo interessato a quello che Giannino stava dicendo per farci caso.

– Mio padre lo conosce bene. Ci andava lui a raccogliere certi tedeschi che rischiavano particolarmente la pelle alla fine della guerra ma che sarebbero serviti dopo. SS, Gestapo, servizi segreti di Himmler... questo Hase l'ha tirato fuori da un armadio dove era rimasto nascosto quattro giorni, in un paesino fuori Milano.

De Luca annuí. Aveva conosciuto Hase quando era un ufficiale delle SS che faceva da collegamento tra le forze di polizia italiane e quelle tedesche nella zona in cui operava il gruppo di cui era parte anche lui.

Se lo ricordava, il Tedesco, anche se ancora non ce l'aveva, la faccia da mostro, perché non gli era mai piaciuto, non gli piaceva quello che faceva e neppure il modo. Era uno dei motivi per cui aveva chiesto di andarsene dalla polizia politica per passare a quella criminale, pensò.

Un pensiero rapido, un po' perché aveva fretta di saperne di piú, su Hans Helmut Hase, e un po' perché quella riflessione lo imbarazzava. Era cosí? O se ne era andato soltanto perché aveva paura anche lui di fare una brutta fine?

– Comunque, – continuò Giannino, – mio padre se l'è caricato su una jeep con la stella americana, sotto una coperta militare, e via. Prima l'hanno mandato in Germania, nel gruppo Gehlen, ma siccome le sua specialità erano piú

i comunisti italiani che quelli della Ddr, l'hanno rispedito
qui. Sotto falso nome, naturalmente.
  – Per chi lavora? – chiese De Luca.
  – Prima con gli inglesi, adesso con noi... nel senso di
noi italiani: Sifar, Ufficio affari riservati, servizi vari... ma
non è organico, è una specie di battitore libero.
  – Di sicuro ha lavorato anche per noi, – De Luca lo disse
con fastidio, quel «noi», – visto che ha ammazzato Cresca
per conto dell'Ufficio operazioni speciali del nostro, – ancora fastidio, – servizio. Bisogna vedere se ha continuato con noi o con qualcun altro. Di certo non i russi, viste
le sue idee politiche –. De Luca scosse la testa. – Questo
è un intrigo tutto italiano. Si sa come è diventato Faccia
di Mostro?
  Giannino aveva cambiato gioco. Faceva roteare il gettone, ma invece di riprenderlo quando stava per fermarsi e
girarlo di nuovo tra le dita, adesso lasciava che cadesse per
vedere se si posava sulla faccia con la scanalatura centrale
o su quella con la scritta «Teti» impressa nel bronzo. Era
troppo anche per De Luca, che allungò una mano e lo prese.
  – Si sa, – disse Giannino, malizioso. – Si sa. Al nostro
amico tedesco piacciono le ragazzine, non le bambine, almeno quello... basta che sembrino giovani giovani, di primo pelo. Gli piace entrare dall'ingresso posteriore, non so
se mi spiego, – Giannino si inclinò sulla sedia e si batté
una mano sulla natica, un paio di volte. Poi si raddrizzò,
perché era arrivato il barista con i caffè.
  De Luca era così assorto che quasi non se ne accorse. Gli
stava venendo un'idea, appena distratta dall'odore amaro
dell'espresso.
  – È stata una delle prime cose che ha chiesto quando
l'hanno arruolato, ingegnere. Un sacco di soldi, un nome
nuovo e una ragazzina ben disposta –. Giannino rise. – Lei

non lo conosce mio padre, è un gran moralista, un purita-
no, ha sposato una dama di San Vincenzo, ma gli è toccato
trovare una tizia che sembrasse una scolaretta e portarglie-
la al rifugio in cui lo avevano nascosto –. Giannino si chinò sulla tavola, abbassando la voce, anche se non ce ne era
nessun bisogno. – Il problema è stato quando si è arrivati al
boccone del prete, – altri due schiaffetti sulla natica. – Alla signorina non glielo avevano detto, si è rifiutata, l'amico
nostro si è arrabbiato parecchio e lei gli ha tirato una botta
con un attizzatoio del camino. Gli ha spaccato la testa, un
sopracciglio, lo zigomo, – Giannino si disegnò con l'unghia
del pollice una riga che dai capelli scendeva fino alla bocca,
– e cosí è diventato Faccia di Mostro.
  – E la ragazza? – chiese De Luca, istintivamente. Ma
lo sapeva. Giannino alzò le spalle.
  – L'ha ammazzata –. Congiunse le dita a mezz'aria, come per stringere qualcosa, forte. De Luca corrugò la fronte, pensoso, poi prese il suo caffè. Era diventato freddo
ma lo bevve lo stesso. Allungò la mano aperta.
  – Dammi un altro gettone, – disse, – devo fare un paio
di telefonate.

  La prima chiamata la fece a un numero che sapeva a
memoria.
  Erano passati cinque anni ma dubitava che fosse cambiato e infatti quando sentí in sottofondo il picchiettare
della macchina da scrivere, lento e scandito, da questuri-
no che batte con due dita, capí che era quello giusto prima
ancora che il piantone gli rispondesse.
  – Squadra Buoncostume, comandi.
  E anche Di Naccio era ancora lí, maresciallo adesso, come sentí urlare dal piantone che glielo chiamava, e poteva
immaginarselo benissimo come allora, cravattino stretto,

giacca floscia sulle spalle spioventi, la faccia lunga e triste, da questura, e il cappello sempre in testa, anche in ufficio, soltanto tirato un po' piú indietro.

– Commissario! – gli disse, – commissario, che piacere! – E a sentirsi chiamare cosí, con quell'entusiasmo sincero, a De Luca venne un groppo alla gola.

Per la seconda telefonata, il numero dovette leggerlo dal foglietto su cui l'aveva scritto, perché non era mai stato bravo a ricordarli a memoria.

Si era preparato a una serie di squilli a vuoto, e anche un formale *Buongiorno, scusi, per cortesia, sto cercando*, ma Claudia gli rispose subito, la voce cosí bassa e roca che lei sí, fece fatica a riconoscerla.

C'erano le macerie della guerra, anche se si vedeva che stavano sgombrando e che ci avrebbero costruito presto. La strada era nuova e bene illuminata dai lampioni, nonostante per il resto sembrasse di essere in campagna. Casolari, pergolati spogliati dall'inverno, cataste di legna, c'era una trattoria aperta, col fumo che usciva denso dal camino per perdersi subito nel cielo scuro della sera. «Ranocchi e pesce» stava scritto dentro un rettangolo tracciato direttamente sui mattoni, e dal rumore che c'era si capiva che era piena.

La casa di Claudia era subito dietro. Per arrivarci bisognava attraversare il cortile della trattoria, che adesso era coperto di neve, ma che d'estate doveva essere bello, con i tavolini fuori e quell'odore di grigliata che sicuramente arrivava piú forte. A De Luca venne anche fame, stranamente, e pensò che se Claudia non aveva ancora mangiato magari poteva portarla lí.

Venne ad aprirgli al portoncino di legno massiccio, De Luca sentí il paletto che scorreva negli occhielli, all'interno. Infagottata in un maglione di lana grezza, a collo alto, tirato su fino al naso, i calzoni di una tuta da lavoro troppo grande e un paio di calzini militari ai piedi. Si vedeva anche solo dagli occhi che aveva la febbre.

Lo tirò dentro, rabbrividendo per il freddo di fuori, e corse fino al divano che stava davanti al camino acceso, ci saltò sopra, infilando le ginocchia sotto il maglione. La stanza era grande, la cucina di un casolare di campagna con una scala che saliva al piano di sopra, e in effetti a parte la zona immediatamente davanti al fuoco il resto era ghiacciato.

– Stai male? – chiese De Luca.

– Non l'hai sentito dalla voce? Ho beccato il raffreddore... se no mica ero qui, stasera. Mi toccava andare in Romagna con l'orchestra di mio padre.

– Voce bassa e roca, molto sensuale.

– Sí, figurati. Per il blues, forse, mica per *Bèla Bulagna* –. Canticchiò *A Bologna c'è tutto di bello, l'è dal mònd la piò bèla zité*, ma la voce le si spezzò in un colpo di tosse. Però era vero che cosí morbida e profonda, e anche rotta, suonava molto sensuale.

De Luca andò a sedersi accanto a Claudia, che scivolò sul divano, rannicchiandosi contro di lui. Le mise un braccio sulle spalle, stringendola.

– Pensavo di invitarti a cena, – disse. Claudia indicò una pentola che bolliva sul fornello della cucina economica. Odore di brodo, indubbiamente.

– Non ti facevo uno che invita le ragazze a cena. Non mi sembra che ci dài molto, al mangiare.

– Ho sempre lo stomaco chiuso.

– Sono i cattivi pensieri.

– Sí, forse. Anzi, sí.

– Allora se mi vuoi invitare a cena c'è un motivo speciale. Cos'hai in tasca, l'anello? Ti metti in ginocchio e mi chiedi di sposarti?

Stava scherzando e De Luca sorrise.

– Sono venuto perché ci sono un paio di cose che voglio chiederti e altre che devo dirti.

– Ah sí? Credevo che fossi qui per vedere me.

– Quello sicuramente.

L'aveva detto con tanta istintiva sincerità che a Claudia sfuggí un sorriso, ma non divertito, come quello di De Luca prima, un sorriso felice.

Si alzò in ginocchio sul divano, lo prese per il bavero del cappotto e lo baciò, schiacciandolo indietro, contro i cuscini. Scottava di febbre, De Luca lo sentí quando Claudia si sfilò il maglione da sopra la testa e lui ne ebbe i fianchi tra le mani. Anche le labbra le scottavano, anche la lingua.

– Stai male… – disse di nuovo De Luca, ma lei scosse la testa.

– Non abbastanza.

Si era rimessa il maglione e teneva ancora le ginocchia sotto la lana grezza, ma adesso aveva le gambe nude, sollevate sul divano, ed era scalza. Soffiava su una tazza di brodo bollente. Anche De Luca ne aveva una tra le mani, e aspettava, lo stomaco gorgogliante, perché si era già bruciato la lingua.

C'erano solo le fiamme del camino a illuminare la stanza. Si riflettevano lucide sul viso di Claudia, arrossato dalla febbre, e le segnavano due ombre profonde sotto gli occhi, appena piú scure della sua pelle. Era bella comunque e De Luca immaginò che il suo, di volto, scavato in quel modo ma pallido come quello di un morto, doveva invece assomigliare a un teschio.

– Viviamo qui da subito dopo la guerra, – stava dicendo Claudia. – C'era già la trattoria e mio padre va matto per i ranocchi, quando ha visto che c'era una casa libera l'ha presa subito.

– Mai pensato di tornare ad Asmara? – chiese De Luca.

Gli piaceva vederla parlare, sentirla, sí, ma anche vederla. Le labbra che si muovevano, scivolavano sui denti bianchi, la fronte che si corrugava in una piccola ruga tra le sopracciglia, quando si fermava a pensare, tra una frase e l'altra.

– Mio padre non ha mai voluto. Troppi brutti ricordi. I fascisti, le botte, la morte di mia madre.

– E tu? – Le piaceva *vederla* parlare di sé, quelle piccole rughe ai lati della bocca, quando stringeva le labbra.

– Io non ne ho di ricordi di Asmara. Ero troppo piccola. Cosa volevi dirmi? Hai trovato le prove che Stefania ha ucciso Mario?

– No. Lei non c'entra.

Claudia gli lanciò un'occhiata. Rapida ma intensa. Delusa.

– Anzi... probabilmente non si tratta neanche di un delitto. Probabilmente è davvero un incidente, ecco. Sí. Abbiamo trovato prove che... sicuramente.

Un'altra occhiata, sempre rapida e forte, anche delusa, ma con qualcos'altro dentro. Dispiacere. Sgomento, quasi.

– Cosí la tua indagine è conclusa. Hai finito il tuo lavoro.

Era per quello che era cosí triste? Perché allora lui se ne sarebbe andato?

De Luca appoggiò la sua tazza sul pavimento e si spostò sul divano, piú vicino a Claudia. Si abbottonò i calzoni, perché si sentiva ridicolo, e intanto pensava a cosa dirle. Non era mai stato bravo a esprimere i suoi sentimenti, ci aveva già riflettuto su questo, ma c'erano tante cose, cose che gli pesavano dentro come macigni, che lo strangolava-

no d'angoscia, fatti, bugie, ricordi, e non ce la faceva piú
a tenerseli addosso cosí, come se niente fosse.

Non poteva raccontarle tutto, non voleva, ma almeno
qualcosa. Non sapeva da dove cominciare.

– Senti, Claudia... io non sono un investigatore delle
assicurazioni.

– Ah no? E cosa sei?

– Sono un poliziotto.

Claudia non disse niente. Fissava il brodo nella tazza
come se non avesse sentito, le occhiaie scavate dal fuoco
che sembravano ancora piú profonde. Soffiò, anche, un
soffio roco che finí in un altro colpo di tosse.

– Io e il mio amico siamo poliziotti incaricati di seguire
un'indagine. In incognito.

– Sulla morte di Mario? – sussurrò Claudia, con la voce
cosí bassa che De Luca fece fatica a sentirla.

– No. Dimenticalo, il tuo Mario. Quello è stato un incidente.

Prima bugia, pensò De Luca, prima bugia che gli restava dentro.

– Sono qui per indagare sull'omicidio di Stefania Cresca.

Claudia annuí. Aveva gli occhi molto lucidi ma non
sembrava che fosse soltanto il raffreddore. Tirò su col
naso.

– Quindi, – disse, – non sei un impresario musicale e
non sei un investigatore delle assicurazioni. Sei un poliziotto. E come ti chiami, davvero?

– Morandi, – disse De Luca, – commissario Morandi.

Seconda bugia. Pesante come la prima.

– E ce l'hai un nome, commissario Morandi?

– Giovanni, – disse De Luca, o almeno gli pareva. Era
sui documenti ma non lo usava mai.

Claudia strinse la tazza cosí forte che sembrava volesse spaccarla tra le dita. *Adesso me la tira in faccia*, pensò De Luca.

– Sei un poliziotto... uno sbirro. E sei qui per scoprire chi ha ammazzato Stefania, – mormorò Claudia.

– E Aldino.

– Aldino? – Claudia avrebbe urlato di sorpresa se avesse avuto la voce, ma la raucedine gliela bruciò in gola.

– Aldino... ma come... quando...

– Questa mattina, – disse De Luca. – Si è impiccato, ma non credo da solo. Domani sarà sul giornale.

Claudia lo bevve, il suo brodo, invece di tirarglielo. Una sorsata lunga, che le schiarí anche la voce, lasciandola ad ansimare, lo sguardo perso nel vuoto.

– Ma perché?

– È una storia complicata. Credo, anzi, sono sicuro che Aldino facesse affari con un dottore e un tipografo, che spacciasse droga attraverso ricette false e che c'entrasse qualcosa anche la signora Cresca.

– E l'hanno ammazzato per questo? Anche Stefania?

– Non lo so. Tu hai mai sentito niente del genere? Aldino, il tipografo Giorgini, il dottor...

– Aldino aveva sempre qualcosa per chi glielo chiedeva. Musicisti, soprattutto, studenti, amici... era un farmacista, no?

– Non me l'hai detto...

– E a chi dovevo dirlo? All'impresario? All'assicuratore? Al poliziotto?

Claudia affondò le labbra nella tazza, perché di nuovo la voce le si era spenta in gola quando aveva cercato di tirarla fuori con rabbia. De Luca fece lo stesso, bevve il suo brodo che gli scese nello stomaco ancora caldo, con un senso di benessere che non era per niente adeguato alla situazione. Lei, intanto, aveva ricominciato a fissare il vuoto con gli occhi lucidi, tirando su col naso. Si era anche allontanata, di poco, ma abbastanza per non toccarlo piú.

– Senti, Claudia, – disse De Luca dopo un po'. – C'è un tipo, grosso, che fa paura, noi lo chiamiamo Faccia di Mostro, perché ha un occhio, – fece il gesto. – L'hai mai visto uno cosí? Prima, adesso, in questi giorni... l'hai mai notato?

Claudia scosse la testa, senza dire niente. Fissò De Luca e dietro quel velo di lacrime, qualunque cosa fossero, c'era uno sguardo che lui non riuscí a capire.

– Vuoi che me ne vada, – le disse, e non era una domanda, già aveva cominciato ad allacciarsi una cintura, ma lei lo fermò con una mano sulle sue.

– Mio padre rientra domani e io non ci voglio stare, da sola, questa notte. Resta con me.

De Luca annuí. Lei tornò vicino a lui, rannicchiata dentro il suo cappotto, come una coperta, i piedi nudi sulla sua coscia, le gambe contro il suo petto e tutto il resto tra le sue braccia, una bambina.

– È tutta la vita che sto in mezzo alle cose false, anche quando sono vere. Sono Claudia e sono Franca, sono italiana e sono africana, canto il jazz e la filuzzi, mi tirano tutti da una parte e dall'altra e io mi ci perdo, non so piú neanche chi sono. Quindi, per favore, almeno tu, commissario Morandi, almeno tu, sii sincero con me. Mai piú bugie.

– Sí, va bene, – mentí De Luca. – Mai piú bugie.

Piú tardi, a letto, abbracciati sotto la trapunta che li copriva fino alle orecchie, Claudia si strinse a lui, bruciante di febbre. Parlavano, a lui piaceva vederla parlare tra le ombre di una candela, adesso. De Luca aveva nominato Aldino.

– Era uno stronzo anche lui, – mormorò Claudia. – Mi dispiace piú che altro per l'Alma Mater. Adesso sono per metà disoccupata.

– Che te ne importa. Stai per fare un disco.
– Sto per fare un provino, – disse Claudia, piano, dopo un attimo di silenzio.
– Andrà benissimo, – disse De Luca, anche quello cosí istintivamente sincero da strapparle un sorriso. – Sei bravissima. E sei decisa. Hai detto che sai quello che vuoi, no?
– E cosa voglio, secondo te?
– Vuoi essere una cantante di jazz.
De Luca la sentí annuire contro il suo petto. Poi la sentí sussultare, come per trattenere i singhiozzi. Stava per dirle qualcosa ma lei lo baciò forte, quasi con rabbia, schiacciandogli le labbra sulla bocca, roventi come il resto del suo corpo nudo.

Dopo, si addormentò subito, respirando piano e tranquillamente per gran parte della notte, come se il raffreddore le fosse passato.
De Luca restò sveglio fino al canto del gallo, la mattina presto.
L'aveva sentita piangere nel sonno, e questo gli aveva sciolto dentro una tenerezza struggente, che aveva diluito le sue angosce, ma non abbastanza da permettergli di addormentarsi. Si era innamorato di una donna alla quale non poteva dire che faceva parte di un'organizzazione che aveva ucciso il suo amico. Va bene, non lo aveva fatto lui fisicamente, non gli piaceva e non lo approvava neanche, ma per lei sarebbe stato lo stesso.
Adesso, come una volta.
Sarebbe bastato dire: «Sono un poliziotto»?

30 dicembre 1953, mercoledí

Il giorno dopo non successe praticamente nulla, a parte un'altra visita del commendator D'Umberto, che convocò De Luca alla solita ora, al solito bar della stazione, per i soliti bomboloni alla crema. Tutto uguale, anche il cameriere assonnato, soltanto i festoni erano diversi, non piú di Natale ma di capodanno.

Giannino lo aveva chiamato a casa di Claudia, tirando lei giú dal letto, terrorizzata che fosse successo qualcosa a suo padre, e poi lui, che si era appena addormentato.

De Luca fece un rapporto rapido e quasi identico al precedente, anche perché tenne fuori tutto quello che avevano scoperto e che avrebbe potuto in qualche modo compromettere il resto dell'indagine. Non fu difficile, perché il commendatore sembrava quasi piú interessato ai bomboloni, ed era distratto dall'altro caso, quello che lo aveva riportato a Milano.

– L'affare Montesi, giú a Torvaianica, si fa sempre piú antipatico, – disse, a bocca piena, – e rischia di coinvolgere degli amici. Ma sapete qual è la cosa che piú mi scoccia? Che ormai è diventato un caso decisamente romano e a Milano non ho bisogno di andarci piú. De Luca, dammi un motivo per salire di nuovo a Bologna, figlio mio, usalo, quel naso da caccia, usalo.

Per il resto del giorno Giannino e De Luca rimasero a friggere nell'impotenza.

De Luca perché avrebbe voluto vedere Claudia, ma l'aveva lasciata con la febbre, sapeva che stava male e ad accudirla ci sarebbe stato il signor Paride.

Giannino perché voleva andare avanti con l'indagine, fare qualcosa, *usare il naso*, come aveva detto il commendator D'Umberto.

Anche De Luca la sentiva, l'eccitazione della caccia, ma sapeva per esperienza che erano arrivati a un punto in cui bisognava soltanto attendere. Come per un appostamento. Una trappola.

– Dobbiamo aspettare che ci caschi da solo. Ma non possiamo farcelo scappare. È l'unico testimone che ci è rimasto.

– L'unico testimone? – chiese Giannino, perché De Luca lo aveva detto tra sé, anche se a voce alta, come se parlasse da solo. – E chi è?

– Il Tedesco. Faccia di Mostro.

31 dicembre 1953, giovedí

La trappola scattò il giorno dopo, verso sera.

Il maresciallo Di Naccio chiamò De Luca alla pensione e De Luca chiamò Giannino nella stanza in affitto in cui viveva a Bologna. Gli dette l'indirizzo a cui andare direttamente, senza passarlo a prendere, perché era vicinissimo e faceva prima lui a piedi che Giannino in macchina.

Via delle Oche era poco piú di un vicolo, stretto a metà da un blocco di portico, che sembrava quasi una torretta. De Luca la conosceva bene, benissimo, perché dietro a ogni portone e a ogni lunetta c'era un bordello e come dirigente della Squadra del buoncostume di Bologna li aveva visitati tutti. Uno in particolare, al numero 16, dove era stato commesso un omicidio, ma era una storia vecchia e non era quello che adesso interessava a loro.

C'era uno striscione appeso tra due palazzi opposti, legato alle persiane di due finestre chiuse, un lungo rettangolo di stoffa che sembrava ricavato da un vecchio lenzuolo, con sopra scritto: «Buon 1954!» a vernice rossa.

– Stavo per andare a una festa di capodanno, ingegnere. Con la mia ragazza.

– Ragazza? – chiese De Luca e Giannino si strinse nelle spalle.

– È per mio padre. Quindi capisce quanto me ne frega di perdermela. Ce l'avremo anche qui, una festa?

De Luca indicò le luci gialle che brillavano dietro le lunette sopra i portoni. Si sentiva già della musica venire da

dietro le finestre sbarrate. Fisarmonica e una chitarra, ci
doveva essere qualcuno che stava facendo le prove.
– Il capodanno si festeggia anche nei bordelli, – disse
De Luca. Giannino fece una smorfia.
– Intendevo per noi... festa per noi.
– Di Naccio ha sparso la voce di cosa cercavamo e la signora Clelia, che gestisce il 19, – De Luca indicò un portone, – e che gli deve un bel po' di favori, l'ha chiamato
subito. Il Tedesco è passato prima, quando erano ancora
chiusi, chiedendo una ragazzina come piacciono a lui e
un'uscita sul retro.
– Vorrà dire un'entrata, ingegnere.
De Luca lanciò a Giannino un'occhiata di commisera-
zione, ma si accorse subito che non intendeva scherzare
su un doppio senso, aveva parlato sul serio.
– Un'uscita per andarsene dopo. Ma anche per entrare, probabilmente, qui tra poco ci sarà un sacco di gente,
e non solo per i bordelli, siamo in pieno centro. Faccia di
Mostro è un tipo riservato, ma, se uno lo vede, lo nota e
se lo ricorda.
– Benissimo. E allora? Cosa facciamo?
Il numero 19 non aveva un'uscita sul retro, non ce
l'aveva nessuno in via delle Oche, ma a Faccia di Mostro
non importava molto. Aveva una stanza lí vicino, bastava
che la ragazza lo raggiungesse là. La signora Clelia aveva
esitato, l'Annetta, da sola, con quel brutto tipo lí, poi però aveva visto i soldi, in anticipo, era solo un paio di strade accanto, alla fine di via Piella, se non tornava presto ci
avrebbe mandato l'Alfio e Marchino, che era stato junio-
res nei welter, insomma, va bene.
– E quindi cosa aspettiamo qui? Andiamo dove sta, no?
La signora Clelia conosceva la strada ma non la casa.
Faccia di Mostro aveva detto di mandargli la ragazza alle

nove, doveva arrivare al ponticello sul canale e lí trovava
lui che la portava su.

– Aspettiamo che questa Annetta esca e la seguiamo.
Staniamo il Tedesco, lo prendiamo e lo portiamo via.

– E se non viene?

Speriamo che venga, pensò De Luca, e stava per dirlo ma
Giannino lo precedette.

– Scherzavo, ingegnere. Viene sí, – e si batté la mano
sulla tasca del cappotto, dove aveva la pistola.

L'Annetta sembrava davvero una bambina, stretta nel
suo cappottino di alpaca, con una cuffietta di lana sui boc-
coli biondi e un paio di scarponcini rossi. La signora Clelia l'aveva richiamata dentro perché si era dimenticata di
togliersi il rossetto, e quando era uscita di nuovo De Luca
e Giannino avevano cominciato a seguirla, uno piú vicino e
l'altro piú indietro ancora, sul lato opposto della strada.

L'Annetta scese giú lungo via Piella, saltando nella neve
fresca proprio come una bimba, attraversò via Bertiera e
si fermò all'altezza del ponticello sul canale delle Moline.

Faccia di Mostro si materializzò all'angolo con via Righi, come se fosse stato sempre lí ad aspettare, anche se De
Luca e Giannino non l'avevano visto. Portava un cappello
di feltro verde, da tirolese, calcato sul volto, e indossava
una giacca di pelle cosí rigida che sembrava un'armatu-
ra. L'Annetta doveva essere stata preparata dalla signora
Clelia perché non si spaventò quando gli fu cosí vicino da
vederlo bene in faccia. Anzi, si lasciò prendere per mano.

La casa non era proprio in via Piella, stava già in via
Augusto Righi, ma erano solo pochi metri piú in là, oltre
l'angolo. De Luca e Giannino li guardarono entrare, nascosti nell'ombra del portico, dall'altra parte.

– Aspettiamo che torni fuori? – chiese Giannino.

– No, – disse De Luca. – Solo un paio di minuti. Lo prendiamo con la guardia abbassata.

– E mica solo la guardia, – disse Giannino, e questa volta sí, stava scherzando.

De Luca fissò la parete della casa in cui erano entrati Faccia di Mostro e l'Annetta, finché non vide una finestra, al primo piano, che si illuminava. Attese ancora qualche minuto, soffiandosi il fiato tra le mani chiuse, poi fece un cenno a Giannino e attraversò la strada.

Il portoncino era aperto, la scala stretta e poco illuminata, e sul pianerottolo c'era una porta sola. Accostandoci l'orecchio De Luca sentiva l'Annetta gemere forte, ma era un gemito cosí lontano e soffocato che doveva venire da un'altra stanza. Annuí a Giannino che tirò fuori il grimaldello e lo infilò dentro la serratura, girandolo piano, da una parte e dall'altra, con una mano sola, perché nell'altra teneva la pistola, una piccola automatica con il silenziatore avvitato nella canna. Anche De Luca prese la sua, ricordandosene solo in quel momento.

Poi uno schiocco improvviso colpí il legno della porta proprio accanto alla testa di De Luca, lo scheggiò, graffiandogli la fronte con uno spuntone lungo e appuntito come un chiodo. Giannino bestemmiò, si raddrizzò di scatto, togliendosi dallo specchio della porta e sparò due colpi che attraversarono il legno poco sopra la scheggiatura. Prima che De Luca riuscisse a dire qualcosa, Giannino si appoggiò alla sua spalla con la mano armata, alzò una gamba e sferrò un calcio di piatto contro la serratura.

La porta era vecchia, si staccò dallo stipite con uno schianto, aprendosi su un'unica stanza, con un letto al centro. Annetta era sul pavimento, nuda, con un bavaglio attorno alla bocca che ne attutiva le urla, e cercava di infilarsi sotto il letto, terrorizzata.

Faccia di Mostro stava correndo verso una finestra, i calzoni stretti attorno alla vita da una mano e una pistola nell'altra.

– No! – urlò De Luca, perché Giannino stava per sparargli nella schiena, ma fu lui a doversi abbassare quando un colpo staccò un'altra scheggia dal muro che aveva dietro. Faccia di Mostro saltò giú dalla finestra. Giannino arrivò per primo, fece per affacciarsi ma si tirò indietro, perché aveva visto Faccia di Mostro alzare la pistola. Non sparò, continuò a correre lungo la riva del canale che fluiva tra le facciate delle case, saltando i detriti, i rami e le macerie che calavano a picco sull'acqua.

De Luca seguí Giannino, che era saltato giú anche lui. Piombò su un cumulo di assi marce, in mezzo a una colonia di topi che schizzarono via, squittendo, e scivolò all'indietro, col sedere nell'acqua.

La neve sciolta e la stagione invernale avevano riempito il canale con un fondo grigio che scorreva veloce tra i riflessi dei lampioni che stavano sulla strada, oltre le fiancate delle case. Non si vedeva molto bene, c'era una ruota idraulica spaccata, poco piú avanti, e un ponte di assi che attraversava il canale, basso e storto, congiungendo le due rive. Faccia di Mostro sparí oltre le pale di legno marcio della ruota ma quando De Luca ci arrivò vicino si sporse, sparandogli addosso.

De Luca si gettò in avanti, a faccia in giú nella neve sudicia di terra, fin sotto le pale. Si voltò a cercare Giannino ma non c'era piú, sparito. Lasciò che i proiettili si piantassero nell'acqua accanto a lui, e quando sentí il percussore della pistola del Tedesco che scattava a vuoto, si alzò spingendo avanti il braccio armato e sparò.

Due colpi, due soltanto, che rimbombarono tra le facciate delle case come tuoni di un temporale.

Poi Faccia di Mostro gli afferrò il polso e lo tirò oltre la ruota, trascinandolo sulla riva del canale, lo mandò a sbattere contro il ponticello di assi, la schiena che si inarcava contro il piloncino di legno, troncandogli il fiato per la botta. La pistola gli cadde di mano e finí su un intreccio di neve e rametti, come su un cuscino.

Faccia di Mostro colpí De Luca con uno schiaffo che lo rintronò, schiacciandogli il volto da una parte, poi lo afferrò al collo con tutte e due le mani. De Luca spalancò la bocca in un ringhio muto. Il Tedesco se lo tirò vicino, fronte contro fronte, strizzandogli la gola cosí forte che a De Luca sembrò che gli occhi volessero schizzargli via dalle orbite. Allungò una mano, assurdamente, perché il Tedesco lo teneva contro il muro, quasi lo aveva sollevato da terra, e la pistola sul cuscino di rami era a chilometri e chilometri di distanza.

Lo vide sorridere. Il volto asimmetrico, un occhio semichiuso piú basso dell'altro, la bocca storta e quella cicatrice lungo la guancia, Faccia di Mostro, che ondeggiava in quella nebbia rossiccia e dolorosa che se lo stava risucchiando. De Luca alzò le braccia e cercò di spingerlo indietro, i polsi che premevano contro la sua fronte, incrociati, ma era inutile.

Poi il Tedesco voltò la testa di lato, con uno scatto improvviso e secco, totalmente innaturale. Si sputò un fiotto di sangue sulla spalla e crollò a terra, ai piedi di De Luca, che si stava afflosciando contro il muro, senza respiro.

Sul ponticello, in equilibrio sulle assi che ancora sembravano reggere, c'era Giannino, che sparò un altro colpo alla testa del Tedesco.

– Mi dispiace, ingegnere, – disse, – ci ho messo un po' a fare il giro. Ma sono arrivato in tempo, no?

De Luca non lo sapeva piú, se era arrivato in tempo. Gli girava la testa e gli scoppiava la gola, e se Giannino non fosse saltato giú con lui non sarebbe riuscito neanche ad alzarsi. Si tirò su, facendo leva contro il muro e il braccio di Giannino, che gli disse *Non dimentichi la pistola, ingegnere*, e gliela prese lui, perché De Luca non riusciva a chinarsi.

– Andiamo via... i colpi che ha sparato hanno fatto un baccano, e va bene che questa è una zona di delinquenti, ma tra un po' arriva mezza Bologna.

De Luca fece segno che *Sí, un minuto, un minuto*, e osservò il corpo del Tedesco che scivolava lento nel canale, trascinato da una corrente debole ma insistente.

L'ultimo testimone, pensò.

Anche Giannino guardò Faccia di Mostro, e dalla curiosa indifferenza che aveva negli occhi sembrava proprio che non fosse la prima volta che uccideva qualcuno.

– Ha visto, ingegnere? – disse anche: – Ce l'abbiamo avuta la festa, e pure coi botti!

– Che facciamo adesso, ingegnere?

– Che facciamo, Giannino? Hai ammazzato il mio unico testimone!

– Perché stava ammazzando il mio unico ingegnere. Che dovevo fare? Dargli una botta in testa con la pistola? Ma ha visto quant'era grosso? A parte che era un assassino professionista, ingegnere. Però non intendevo quello. Intendevo che facciamo? Mica andremo a casa a dormire.

– E perché no? Cosa credi, che vengano a cercarci? Intanto è presto, il Tedesco sarà finito alle chiuse e fino a domani mattina non lo trova nessuno.

– Ma lei ha sparato.

De Luca non disse niente. Allargò le braccia e come se l'avesse previsto scoppiarono due mortaretti in lontananza, seguiti da un altro, piú vicino.

– Tra poco qui sarà tutto un botto. La mia pistola ha solo anticipato un po' il capodanno.

- Sí, ma...
- Ma cosa, Giannino? Non ho intenzione di scappare, già è difficile fare un'indagine da clandestini, figuriamoci da latitanti.

Giannino si strinse nelle spalle. – Io comunque questa notte dormo da un'altra parte, – disse.

De Luca si sfregò le mani sulle braccia. Le maniche del cappotto erano sporche di un fango rigido e puzzolente, e gli bruciava la gola, ma non voleva ancora andare a casa. Doveva scaricare l'adrenalina, un problema che sembrava non sfiorare neppure Giannino.

Era stato lui a proporre di andarsene in centro, lungo via dell'Indipendenza, in mezzo a tutta la gente che confluiva in piazza Maggiore. Si erano seduti sugli scalini di palazzo D'Accursio, sotto le foto dei partigiani uccisi attaccate sul muro che faceva angolo, poi si erano alzati per andare ad appoggiarsi alla fontana del Nettuno, non per le fotografie dei morti ma perché Giannino aveva detto che gli si ghiacciava il sedere.

Avrebbe voluto fare tante cose, tornare alla pensione per tirare fuori documenti, foto e disegni e ricominciare da capo, andare alla mansarda per ristudiare tutto, anche la polvere, annusarla pure.

Avrebbe voluto andare da Claudia, ma a casa non c'era, aveva telefonato quel pomeriggio e non aveva risposto nessuno.

Si prese la testa tra le mani e rimase cosí, con i gomiti puntati sul bordo della vasca, non sapeva neanche lui per quanto.

La alzò soltanto quando un botto piú forte e vicino degli altri lo fece trasalire.

Il cielo di piazza Maggiore si riempí di fuochi d'artificio.

- Buon anno, ingegnere! – gridò Giannino. – Buon anno!

Doveva uscire a prendere aria. Dopo le prime due ore del mattino presto passate nella camera della pensione a studiare fotografie, documenti e appunti sparsi sul pavimento non ce la faceva piú a starsene rinchiuso come in gabbia, nonostante il caffè bollito sulla stufetta e quella smania febbrile di capirci qualcosa.

Cosí si vestí, lasciò il cappotto incrostato su una sedia e si infilò nel soprabito, una manica dopo l'altra, le braccia spinte in alto come per afferrare qualcosa sul soffitto.

Pensava, e pensando uscí, prese il primo portico e camminò, risalí la città immersa nel sonno del primo dell'anno, deserta e chiusa, sporca di tappi di bottiglia, cicche di sigaretta, coriandoli e neve pestata, girò per i vicoli e si fermò davanti a un vecchio che stava seduto su uno sgabello all'angolo di una strada. Vestito di nero, con un basco rotondo calcato su una sciarpa che gli copriva la testa, la barba bianca infossata dentro il bavero del cappotto, aveva un altro cappello sulle ginocchia, con una moneta dentro. Sembrava piú un prete, o un frate, che un mendicante.

Alle sue spalle c'era un negozio di gastronomia, chiuso, le vetrine sbarrate da una saracinesca a maglie larghe, che lasciava vedere una cascata di tortellini, rotondi e gialli come anelli d'oro, che copriva uno scaffale a cassettoni. Dietro, sotto una cornice di festoni argentati, prosciutti, mortadelle e barattoli di vetro pieni di sottoli. «Buone feste!» scritto a mano sul retro di un cabaret di cartone. Il contrasto gli fece perdere il filo dei pensieri in cui era immerso. Fino a quel momento si era lasciato trascinare da impronte di piedi insanguinati, vestiti scomparsi, le scarpe sí ma il resto no, buste strappate, tasti premuti da un fantasma e poi lividi da strangolamento, acqua nei polmoni, caos, la porta aperta, i dischi rotti, Stefania Cresca nuda, rossa e morta sul pavimento del bagno della mansarda.

Poi, all'improvviso, era scomparso tutto e De Luca si sentí la testa leggera e frizzante come l'aria di quel mattino invernale a Bologna.

Si infilò una mano in tasca, raschiando la fodera con le dita e trovò una monetina. Stava per gettarla nel cappello dell'uomo, ma poi la rimise dentro, tirò fuori il portafoglio dalla tasca posteriore dei pantaloni e prese una banconota, la prima che trovò. La lasciò cadere nel cappello, l'uomo alzò gli occhi sotto le sopracciglia cespugliose e lo guardò per un attimo, mormorando quella che sembrava una benedizione. Era un prete, allora.

– Grazie, – disse De Luca. Inspirò l'aria col naso, quasi potesse ripulirgli il cervello come una ventata fresca da una finestra spalancata. Poi sentí lo scampanellare di un tram e gli venne un'idea.

Aveva fatto bene a tenere la monetina, la corsa costava proprio venti lire e cosí il tranviere con la borsa a tracolla che sembrava dormire in piedi non dovette dargli il resto.

Andò a sedersi in fondo, sull'ultima panca di legno, lontano anche dall'unico passeggero, un uomo con un berrettino a visiera calato sugli occhi, che lui sí, dormiva. Restò per un po' con la fronte appoggiata al vetro freddo, a guardare distrattamente i portici che correvano fuori dal finestrino, assecondando l'ondeggiare che gli imponevano le accelerazioni del tram sui binari.

Poi cominciò finalmente a pensare.

Pensò per piste, in omaggio all'immagine dei binari. La prima era quella di Mario Cresca.

Caso risolto. Ucciso da Faccia di Mostro su ordine del commendator D'Umberto e del suo vice, dottor Elvani. Responsabili del servizio per cui lavorava anche lui, ma su questo scivolò rapido, perché cosí da solo, nel silenzio che gli scorreva sotto, era una cosa che lo metteva a disagio. Movente: spionaggio, in un certo senso. Apparentemente nessun legame con la morte di Stefania Cresca.

La seconda era quella dell'autista del camion.

Caso risolto. Ucciso molto probabilmente da Faccia di Mostro perché c'era rimasto cosí male nell'aver provocato la morte di un bambino che aveva deciso di parlare.

La morte di un bambino.

De Luca ebbe uno scatto che gli fece battere la nuca contro le liste di legno dello schienale. Anche su quella cosa non aveva riflettuto con abbastanza intensità, e adesso, in quella mattina bianca e concentrata, gli risultò insopportabile. Si alzò e fece qualche passo tra i sedili, tenendosi alle maniglie che correvano sopra la sua testa, perché il tram stava curvando. Si era aggiunto un passeggero, un ragazzo con la faccia coperta di brufoli che sembrava ancora ubriaco dalla notte prima.

De Luca tornò a sedersi al suo posto in fondo, piú calmo. Evitò di pensare al bambino.

Allora, Faccia di Mostro, omicidio preventivo, probabilmente d'accordo con i committenti del servizio per cui lavorava anche lui – *Non adesso, lascia stare* – quantomeno con Elvani, se non addirittura con D'Umberto. Comunque, caso chiuso, nessun rapporto con la morte di Stefania Cresca.

L'autista del tram suonò il campanello e il controllore gridò *Stazione! Capolinea! Si scende!* De Luca guardò fuori dal finestrino, erano fermi nel piazzale davanti alla stazione. Scese per ultimo, poi gli venne un'idea, un'altra, e risalí un paio di scalini, affacciandosi all'interno.

– Scusi, – chiese all'autista, – per le cave?

– Col tram? Fin lassú?

– No, prima... intendevo la zona. Dove c'è una trattoria che fa i ranocchi.

Per un attimo si sentí ridicolo, ma non ce n'era ragione, perché l'autista si illuminò.

– Via del Traghetto, – disse, – ma a quest'ora sarà chiusa.

– Non importa, devo andare lí vicino.

– Se prende il taxi fa prima.

– No, voglio stare su un tram. Va bene, lasci perdere.

– Il 31 barrato, quello che va giú per il ponte, poi lí cambia e prende quello per via Zanardi. Stia su perché è lunga, ma ci passa davanti, a via del Traghetto.

– Grazie.

– Se poi prende i ranocchi se li faccia fare fritti. Sono buoni anche in umido, ma là, fritti, li san fare da Dio.

– Grazie.

Il tragitto del 31 barrato era troppo corto per mettersi a pensare, e poi il cuore aveva cominciato a battergli, e non riusciva a concentrarsi.

Anche aspettare seduto sulla panchina della fermata in fondo al ponte lo distraeva, faceva freddo e c'era un uomo che cercava di mettere in moto una 500, che prima guaiva, poi abbaiava, poi tossiva e poi si fermava.

Soltanto quando arrivò un tram con sopra una enorme insegna del Campari De Luca capí che avrebbe potuto ricominciare le sue riflessioni.

Era vuoto anche quello, a parte una ragazza con un fazzoletto stretto sulla testa e una sporta di paglia sulle ginocchia. Aveva di nuovo le venti lire giuste, perché sul 31 si era fatto cambiare una banconota che il controllore aveva scrutato a lungo, controluce, prima di metterla nel borsello.

Non c'erano portici da fissare, solo alberi spogli e case isolate, perché la periferia lí sembrava già campagna, ma funzionò lo stesso. De Luca si afflosciò contro lo schienale, avvolto in quel tepore ondeggiante, e ricominciò a pensare.

Pista Aldino. Ucciso da Faccia di Mostro. Perché? Perché aveva deciso di parlare con loro. E cosa gli avrebbe raccontato? Del suo traffico di stupefacenti? Dei russi?

De Luca strinse le labbra, pensoso. Stava guardando dritto davanti a sé, senza davvero vedere, e non si accorse che la ragazza lo stava fissando anche lei, stretta alla sporta di paglia, spaventata, perché era proprio sulla traiettoria del suo sguardo. Si alzò, addirittura, e andò a sedersi piú vicina all'autista.

Comunque ucciso da Faccia di Mostro. Il tipografo, invece, ucciso da Aldino. Per sbaglio, in seguito a una discussione provocata da lui e Giannino a quella festa, tanto per smuovere le acque. Caso risolto.

Relazione con Stefania Cresca? Il traffico di stupefacenti.

L'aveva uccisa Aldino, la signora Cresca? L'aveva tenuta sott'acqua con le sue manine?

O era stato Giorgini?

O quel dottore, quello sulla busta e sul nastro della macchina da scrivere, il dottor Pirro?

O Faccia di Mostro.

E perché? Perché ucciderla, perché non portare a termine subito l'azione, perché costringerla a sedersi al tavolo con i suoi piedi insanguinati, perché rubarle i vestiti, perché, perché, perché.

Non c'erano piú piste da seguire, dopo la morte di Faccia di Mostro.

De Luca lo pensò al momento giusto, stava passando davanti alla trattoria dei ranocchi e se fosse stato ancora assorto nei suoi pensieri chissà dove sarebbe finito.

Era sceso dal tram con il cuore che gli batteva impazzito, bagnato da un sudore assurdo che gli si ghiacciava sotto il soprabito.

Aveva attraversato di corsa il cortile per bussare forte al portoncino di legno, pronto a qualunque cosa, a qualunque scusa, chiunque gli avesse aperto.

Ma non c'era nessuno.

Vide un uomo con un grembiule di gomma, un signore anziano con un paio di baffoni a manubrio ormai troppo sottili, e un'aureola di capelli bianchi. Era uscito dalla trattoria con una ramazza per sgombrare il cortile dagli ultimi resti di neve.

– Sa mica se... – iniziò De Luca, indicando il portoncino, ma l'uomo scosse la testa.

– Tutti fuori. La Franca e Paride. Sono via con l'orchestra.

– E sa mica quando...

– Un paio di giorni, tre... sono andati nelle Marche. La Franca non stava molto bene, Paride ha detto che la fa cantare poco perché presto ha il provino. Deve fare un disco, sa?

De Luca sorrise. Un sorriso sincero che sarebbe piaciuto a Claudia.

L'uomo si avvicinò lisciandosi i baffi con la mano aperta.
– La conosco, io?
– Non so, non credo, – disse De Luca, soprappensiero,
perché aveva ancora in mente Claudia.
– Non l'ho già vista da qualche parte?
Campanello d'allarme. De Luca fece un passo indietro,
come per andarsene.
– Forse. Sono venuto qui a mangiare... qualche volta.
– Davvero? Strano, perché sono uno di quelli che non
si dimentica mai una faccia. Cioè, una volta, adesso quasi
mai. Ha preso i ranocchi?
– Sí, – disse De Luca, un altro passo indietro, verso
l'uscita del cortile.
– E come glieli abbiamo fatti?
– Fritti –. Un altro passo, ormai era fuori.
– La prossima volta che viene glieli do in umido. Sono
buoni anche fritti, ma in umido, qui, li facciamo da Dio.

Quando tornò alla pensione era quasi sera. L'uomo dietro
il banco della reception lo fermò che era arrivato alle scale.
– Deve chiamare il suo amico. Ha già telefonato cinque
volte, – disse seccato.
– Grazie. Mi dà un gettone?
– Non ce l'ho, – seccato.
– Allora uso questo, – disse De Luca con la decisione della
stanchezza, e l'uomo non osò replicare. Gli lasciò prendere l'apparecchio che aveva sul tavolo, che De Luca mise sul
bancone per comporre il numero di Giannino.
– Ingegnere, finalmente! È tutto il giorno che la cerco,
mi stavo preoccupando.
– Sono stato in giro, dovevo pensare. Che c'è?
Si capiva che smaniava, Giannino, anche senza vederlo. Doveva giocare con la rotella del telefono perché ogni
tanto, per una frazione di secondo, la voce spariva.

– Ho due cose per lei, ingegnere. Da quale vuole cominciare, quella piú piccola o quella piú grossa?

De Luca sospirò. – Giannino, ma quanti anni hai?

– La piú piccola o la piú grossa?

– La piú piccola.

– Allora eccola. Ho lasciato una cosa per lei al portiere.

De Luca guardò l'uomo con aria interrogativa e quello capí subito. Tirò fuori da sotto il banco un giornale vecchio, piegato in quattro. De Luca lo osservò senza capire.

– Prima le spiego, – disse Giannino, al telefono. – La mia mamma dice sempre che non so fare niente in cucina, e in linea di massima ha ragione, però invece una cosa c'è: la ribollita. La minestra di pane alla toscana, ha presente, ingegnere?

– Giannino...

– Il segreto sta nel cavolo nero, che deve essere fresco. Qua non si trova, però la portinaia della casa dove sto quando lo trova me lo prende...

– Giannino, scusa...

– Cosí questa mattina, sullo zerbino del mio appartamento, ho trovato un bel cavolo avvolto in un giornale...

– Giannino!

– Gliel'ha dato, il giornale? È il «Giornale dell'Emilia» perché è di luglio e «il Resto del Carlino» ha ripreso il suo nome solo da un paio di mesi, però se guarda dentro, alla cronaca di Bologna... c'è andato, ingegnere?

De Luca sfogliò le pagine spiegazzate, tenendo la cornetta tra la spalla e la guancia, scomodissimo, e stava quasi per chiedere spiegazioni a Giannino quando la vide.

C'era una fotografia, nella cronaca di Bologna. Un gruppo di mondine che marciavano per la strada, affiancate e in riga, come un plotone militare, ma sorridenti. Ce ne erano due che tenevano uno striscione con sopra scritto: «Festa nazionale de l'Unità» come una bandiera. Portavano tutte cappelli di paglia e fazzoletti attorno al collo sulle camicette aperte, erano scalze e il fotografo le aveva prese dal basso, forse si era steso per terra, perché avevano gambe lunghissime che correvano fin dentro i risvolti dei calzoncini corti, si vedevano anche le piante dei piedi, sollevate, nere dei cubetti di porfido bolognese della strada.

La terza nella prima fila era Claudia e si capiva, dalla bocca aperta e dallo sguardo felice, che stava cantando. Era piú giovane, perché anche se il giornale era di luglio si vedeva che la foto risaliva a qualche anno prima.

– È la sua ragazza, no? – disse Giannino. – Vero che è lei?

– Sí, – disse De Luca e mentre lo diceva si sentí stringere il cuore. Sorrise, per un momento, come un adolescente, pensò, ma smise subito.

C'era qualcosa che non andava.

Non capiva cosa, un fondo di angoscia, no, di rabbia, neanche: di paura.

Tutte e tre le cose insieme.

Perché, si chiese, ma non fece in tempo a rispondersi.

– Ora l'altra cosa, quella piú importante, – disse Giannino. Friggeva, entusiasta, gli scoppiava la voce nella cornetta del telefono. – E mi dica che sono stato bravo, ingegnere, ma per forza, con un maestro come lei, che vuoi fare?

– Giannino, per Dio!

– Abbiamo un'altra pista, ingegnere. Ho trovato il dottore.

2 gennaio 1954, sabato

– Ha studiato Medicina ma non si è mai laureato, per questo non riuscivamo a trovarlo. E non sta a Bologna, ma a San Giovanni in Persiceto, piú in su, a nord. Giannino era ancora eccitato. Non riusciva a stare fermo sul sedile dell'Aurelia e sfregava le palme delle mani sul volante, come se volesse lucidarlo. Avevano parcheggiato in un angolo di piazza Verdi e guardavano una finestra al primo piano di un palazzo, poco sopra di loro. Il finestrino aperto dalla parte di Giannino si era mangiato tutto il tepore del riscaldamento, ma era per sentire il rullare di una batteria che veniva dalla finestra, aperta anche quella. C'erano un paio di studenti che si erano fermati sotto ad ascoltare e uno, una ragazza, schioccava le dita al tempo sincopato dei piatti e del rullante.

– Si ricorda quel negretto che rideva sempre, ingegnere? A casa di Aldino... ecco, diciamo che in questi giorni ci siamo conosciuti meglio, – Giannino era arrossito comunque, – e quando ci siamo visti ieri è saltato fuori questo dottor Pirro, amico di Aldino eccetera eccetera. Oreste Pirro, pensi un po'.

Dal palazzo uscí un signore anziano che mandò via gli studenti, gridò *Basta con questa musica di bussolotti!* verso la finestra, in dialetto, e poi rientrò. Dopo poco la batteria smise di suonare.

– Il nostro dottor Pirro è uno che mette a posto le ragazze che non sono state attente, non so se mi spiego.

– Aborti, – disse De Luca. – Hai questa curiosa abitudi-
ne di non chiamare mai le cose con il loro nome, Giannino.
– Mi scusi, ingegnere. Aborti, sí. Non so cosa c'entri
questo con il nostro traffico, però...
– Glielo chiederemo.
– Giusto.
Dal palazzo uscí il ragazzo nero che stava alla festa da
Aldino. Stretto in un giubbotto troppo leggero, un ber-
retto di lana calato sulla testa riccia. Giannino aprí la por-
tiera dell'auto e si sbracciò per farsi vedere, anche se non
ce n'era bisogno.
– John! John, sono qua!

A parte qualche parola di italiano, le solite e distorte
da un forte accento americano, John parlava solo inglese.
De Luca lo capiva abbastanza mentre Giannino sembrava
addirittura madrelingua.
    In due avevano mangiato quattro porzioni di lasagne,
piú parte di quella di De Luca, che si era fatto contagiare
dall'entusiasmo ma si era fermato prima della metà. Leonida, il padrone della trattoria, un tipo simpatico con un
farfallino sulla camicia bianca, era venuto a battergli le mani e a chiedere se volevano il secondo, e tutti e due, John
e Giannino, avevano annuito con forza.
    – Chiedigli come lo conosce, – aveva detto De Luca,
dopo. Giannino aveva tradotto, a bocca piena, e John si
era stretto nelle spalle, a bocca piena anche lui.
    – *Drugs*, – aveva sussurrato. – *Joint*, – facendo il segno
di fumare.
    – Droga...
    – Sí, l'ho capito. E dove sta questo dottore?
    Giannino tradusse ancora e John si strinse di nuovo
nelle spalle.

– Dice che sta a Cervia. Riceve in uno scantinato, la sera. Dalle otto in poi. Sa che questa sera deve occuparsi di una ragazza che conosce –. *Ma lui non c'entra*, aggiunse, malizioso.
– Chiedigli se qualche volta ha dormito nella mansarda. Che rapporti aveva con il professore e se ha mai conosciuto Stefania Cresca.

John scosse la testa mentre Giannino stava ancora traducendo, poi si affrettò a rispondere. Parlava a monosillabi e aveva smesso di mangiare.

– Ci ha dormito una volta e il professore lo conosce appena. La signora non l'ha mai vista.
– Sembra che sia spaventato, – disse De Luca. – Chiedigli perché.

John ascoltò, poi riprese a mangiare, gli occhi nel piatto.
– *No. I'm not scared*, – sussurrò.
– Dice di no, che non è spaventato. Vuole la mia, ingegnere? È un jazzista un po' tossico e per di più negro, e ha capito che noi siamo una specie di poliziotti. È normale che lo sia –. Gli mise una mano sulla sua, stringendola forte, e mormorò *Don't worry, no problem*.

De Luca aspettò che Leonida tornasse per ordinare il caffè.

Intanto pensava.

C'era qualcosa che non tornava, anche se non riusciva ancora a capire cosa.

Il pomeriggio cominciò a piovere. Gocce di pioggia che bucavano i mucchi di neve come dita.

Giannino avrebbe voluto partire subito per correre all'indirizzo che gli aveva dato John, ma De Luca lo trattenne.

C'era tempo. Voleva sorprendere il dottore nello studio, con la ragazza, per avere maggiore capacità di pressione, bastava che partissero nel tardo pomeriggio.

E poi c'era qualcosa che doveva prendere. E che voleva fare.

Si fece portare alla pensione dove salí a prendere il faldone in cui aveva raccolto tutto il suo caso. Tirò fuori il nastro della macchina da scrivere con le lettere impresse sulla banda rossa e anche l'angolo strappato della busta che avevano trovato nel cestino della carta straccia. Dottor Pirro Oreste. Oreste Pirro. Pirro dott. Oreste. C'era qualcosa che non andava e De Luca restò a lungo ad analizzare busta e nastro, appoggiati sul suo letto. Poi prese la pagina di giornale che Giannino gli aveva lasciato alla reception, la sera prima, e si mise a studiare anche quella. Claudia, giovane mondina, già partigiana, alla festa dell'unità.

Quella sensazione di angoscia, rabbia e paura tornò lentamente, e piú debole, ma piano piano arrivò.

Era diversa da quella che provava pensando al dottor Pirro, erano due cose che non quadravano, che lo rodevano dentro, che lo tormentavano con un fastidio appena controllabile, ma erano diverse.

De Luca pensò che la prima, quella che riguardava il dottore, l'avrebbe risolta nel giro di qualche ora.

La seconda, invece, quella di Claudia, De Luca si era convinto che fosse piú oscura perché riguardava proprio lui. De Luca.

Era per questo, forse, che gli faceva paura.

Partirono che stava facendo buio, uscirono dal centro, si allontanarono dalle mura e imboccarono la Persicetana. Giannino aveva segnato il percorso su una mappa, con un lapis rosso, perché era una zona che non conosceva. La strada, poi, era male illuminata, e la pioggia fredda spazzata sul parabrezza dai tergicristalli non aiutava di certo.

Ma Giannino friggeva, entusiasta.

– Se per caso si rivela la pista giusta poi me lo dice che sono bravo, ingegnere? Se risolviamo il caso è merito mio, no? No?

– Sí, sí... vai piano, però, che c'è tempo.

Ma Giannino friggeva.

– Stia tranquillo, ingegnere. Questo qui non glielo ammazzo. Magari lei evita di farsi strangolare, cosí non devo sparargli!

De Luca sospirò, scuotendo la testa e gli venne anche da sorridere, assurdamente. Un ragazzino, un ragazzone, Giannino, con una pistola col silenziatore nel cruscotto, manipolato e sfruttato ma furbo, con gli scrupoli morali e l'allegria di un bambino. Che friggeva, adesso, per un giocattolo nuovo.

De Luca staccò la schiena dal sedile, trascinato da una frenata piú netta.

– Mi scusi, ingegnere... c'è quel bischero in motore davanti che mi fa impazzire.

De Luca lanciò un'occhiata oltre il finestrino, al buio che luccicava tra la pioggia e la luna e tornò ai suoi pensieri.

– E c'ha anche un Saturno 500 sotto il sedere, Dio bonino, e corri un po', allora! Mi faccia il favore, ingegnere, se mi sta seduto cosí contro lo sportello si allacci la cintura.

Tre cose da pensare, mentre Giannino schiacciava i tasti dell'autoradio incassata nel cruscotto che aveva fatto montare il giorno prima, ma non si sentiva bene. – *È stata colpa mia, soltanto colpa mia, d'amarti alla follia...* tra un mesetto c'è Sanremo, ingegnere, lo so che non gliene frega nulla, ma io ci vado matto. *Non mi lusingar, il romanzo finí...* oh, Madonna, questo bischero davanti!

Tre cose da pensare. Una stupida, una importante e una che non aveva ancora capito.

– Vabbe', abbiamo anche la guida a destra e non si vede
una fava, ed è pure una strada stretta... però che due maroni, come dicono a Bologna. Che si fa quando arriviamo,
ingegnere, poliziotto buono e poliziotto cattivo, come nei
film? Lei che sceglie? Io farei il cattivo...
Tre cose da pensare. Quella stupida: come era finito in
quella situazione assurda, *Cane da guardia, cane da caccia
e cane da tartufo.* Cane bastardo. Quella importante: perché far sedere Stefania alla macchina da scrivere, chiunque l'avesse uccisa. Quella che non aveva ancora capito:
Claudia.
– Oh, finalmente!
De Luca guardò oltre il parabrezza, schiacciato sul sedile dall'accelerazione improvvisa dell'auto che Giannino aveva lanciato al sorpasso del camion. Nel buio lucido
di pioggia vide il fanale posteriore della motocicletta che
spariva all'improvviso, indovinò che c'era una curva, una
curva stretta, troppo stretta, e pensò *No!*

Si aggrappò alla maniglia e piantò assurdamente i tacchi
sul pavimento dell'Aurelia mentre Giannino bestemmiava,
perché l'aveva vista anche lui, la curva, e non solo, anche
un ponte subito dopo, e un'altra curva in mezzo, spezzata
e innaturale come un gomito fratturato.
Intanto la 1900 li aveva chiusi a destra, attaccata al camion, e gli impediva di rientrare.
– Oh Dio! – gridò Giannino e piantò il piede sul freno, attaccandosi al volante e tirando verso di sé con tutte
e due le mani, come se servisse a qualcosa. Per un attimo
l'auto sembrò puntare sulla scarpata, ma ormai l'angolo
di traiettoria si era già modificato.
– Mamma, no! – gemette Giannino, con una nota di
pianto da bambino disperato nella voce mentre scivolava-

no sulla strada bagnata dritti sulla striscia bianca dipinta sui mattoni del ponte, proprio sull'angolo della spallina che chiudeva la curva.

Lo schianto li prese leggermente sulla destra, schiacciando il muso dell'Aurelia con un colpo cosí forte e secco che li proiettò tutti e due in avanti, staccandoli dal sedile. De Luca aveva la cintura allacciata e la mano infilata nella maniglia che lo trattennero una frazione di secondo, impedendogli di sbattere con la faccia contro il parabrezza che Giannino aveva già sfondato, quando la spinta gli aveva fatto mancare il volante di qualche centimetro, sparandolo fuori dall'auto come un proiettile, oltre il cofano, oltre il ponte, giú, nel torrente che ci scorreva sotto.

Era già morto prima ancora di toccare l'acqua.

Dopo

(4-10 gennaio 1954)

«Oggi»

Settimanale di politica attualità e cultura, anno X, n. 1, 60 lire. *In copertina:* NOZZE ROMANTICHE E FASTOSE PER ROBERTO D'ASBUR-GO E MARGHERITA DI SAVOIA-AOSTA (alle pp. 22-27 il nostro servizio fotografico speciale).

All'interno: LA SPOSINA DI NATALE, New York, Babbo Natale ha portato in regalo all'attrice Hedy Lamarr un quinto marito • I SOGNI HANNO TRADITO LA SARTINA MALATA D'AMORE, Nadia Minardi abbatté con un colpo di pistola il suo «principe azzurro» perché non lo voleva perdere • VACANZA ROMANA PER AVA E FRANK SPOSI RICONCILIATI, Roma, Frank Sinatra e Ava Gardner sono giunti improvvisamente in aereo all'aeroporto di Ciampino.

Pubblicità: Alleviate i raffreddori dei bambini con una semplice frizione prima di metterli a letto: VICKS VAPORUB, negli Stati Uniti questa piacevole pomata è usata da milioni di mamme!

«La Settimana Incom Illustrata»

Anno VII, n. 2, 60 lire.

In copertina: MARCELLA MARIANI, una ragazza romana di sedici anni, è stata eletta Miss Italia (alle pp. 12-15 il nostro servizio esclusivo sul concorso).

All'interno: MASSAIA IN ALLARME, due banditi evasi dal penitenziario di Jackson sono ancora in libertà. Ecco la signora Betty Wagner, di Detroit, che apre sospettosamente la porta di casa impugnando per ogni eventualità una carabina • Aperta a Milano una scuola di dermatologia estetica, DOPO I VENT'ANNI LA BELLEZZA SI PAGA • IL CASANOVA DELLE MILIARDARIE, Porfirio Rubirosa, espulso dalla carriera diplomatica, è ridiventato ambasciatore in seguito alle sue nozze con Barbara Hutton • Alfred Shuster, un nano ventiseienne di appena un metro, si è unito recentemente in matrimonio a Barcellona con la ventiquattrenne Elfriede Schischtweg, alta un metro e settanta. Ecco gli sposi.

Pubblicità: La vostra pelle assumerà il luminoso e vellutato calore della leggiadra, inebriante gardenia usando CREMA VENUS BERTELLI! CREMA VENUS, pelle fresca, morbida, vellutata.

«Annabella»

Rivista di moda e di attualità femminile, anno XXII, n. 2, 50 lire.

In copertina: LA MODA PER LE PICCOLE E QUELLA PER LE ALTE.

All'interno: LETTERE AD ANNABELLA, Sono piccola ma snella e mi sposerò (non in bianco) ai primi di marzo (PALLINA FELICE); Caro Adrian, dovendomi incontrare con una donna che qualche anno fa si è fatta sbaciucchiare da mio marito (mentre sapeva che era padre di famiglia) come mi dovrei comportare? (AMNERIS); Avevo dodici anni e ne dimostravo già quindici... Adrian, ho diciassette anni e tutto ciò che ho scritto è purtroppo vero (MIRELLA OGGI) • IL CAPPELLO DELLA SETTIMANA, certe frittatine di velluto assolutamente piatte, portate molto in avanti sulla fronte e incantevoli, sono riservate alle donne alte e vietate alle piccole, salvo che le donne in questione non abbiano la testa minuta, il collo lungo e la figura sottilmente proporzionata. • DESIDERIO SOLTANTO, romanzo di Giorgio Scerbanenco.

Pubblicità: Il rossetto LEBERT, per il segreto della sua composizione chimica, viene usato dalle stelle del cinema a colori. Provatelo oggi stesso anche voi e constaterete che il vostro viso si irradierà di nuova luce.

5 gennaio 1954, martedí

Aprí gli occhi con la sensazione di averlo già fatto prima, ma non ne era sicuro, perché quello che vide gli sembrava cosí nuovo. Il soffitto, il lampadario, la tenda alla finestra, bianca come il soffitto e la lampada, e il comodino di formica, il gesso che gli cementava un polso, anche le lenzuola, giú fino in fondo, troppo in fondo, tutto quel bianco, gli girava la testa.

De Luca tossí e una fitta gli bruciò le costole.

– Commissario... vi siete svegliato.

Pugliese era seduto su una poltroncina a sdraio di liste di plastica intrecciate, bianca anche quella, di fianco al letto. De Luca ci mise un po' a metterlo a fuoco, ma lo aveva già riconosciuto dalla voce.

– Perché? – chiese. – Dormivo?

– Siete ancora un po' confuso, commissa'. Chiamo la suora.

– Solo un momento. Sí, sono confuso. Dove sono?

– Ospedale Maggiore. Al traumatologico.

– Da quanto tempo?

– Tre giorni. Vi ricordate cos'è successo?

Sí, se lo ricordava, non l'aveva mai dimenticato. La frenata, lo schianto, la botta. No, invece, qualcosa sí, l'aveva dimenticata.

– Giannino! C'era un altro con me, cosa...

Pugliese scosse la testa. De Luca non disse niente.

– Chiamo la suora.

La suora chiamò il dottore, che fece scorrere un dito davanti agli occhi di De Luca, destra e sinistra, lo tastò strappandogli un gemito, gli schiacciò una mano sulla fronte per sentire se aveva la febbre, poi se ne andò, dopo aver detto qualcosa che De Luca non riuscí a capire.

Gli aveva spiegato che aveva avuto fortuna, che si era soltanto rotto un polso e incrinato un paio di costole, oltre a una commozione cerebrale che, visto l'incidente, era il minimo, poi De Luca aveva perso il filo. Aveva sonno, un sonno irresistibile, che gli pesava sugli occhi come una colata di piombo. Disse *Sí* e poi *Sí, sí*, senza sapere a cosa e neppure a chi, e un attimo dopo stava già dormendo.

Quando si risvegliò Pugliese era ancora lí.

– Quanto ho dormito?

– Niente, commissa', pochi minuti.

– Pugliese... hanno cercato di uccidermi.

Pugliese si alzò, sforzando la gamba rigida, e andò a chiudere la porta della stanza, senza bastone, poi strisciò la sdraio piú vicino al letto.

– Lo so. Hanno usato la stessa tecnica con cui hanno ammazzato il professor Cresca. L'incidente è avvenuto sul ponte della Persicetana, che è una brutta doppia curva dove la gente ci si schianta anche senza aiuto.

De Luca cominciava a connettere, piú lucido. Annuí, senza muovere la testa perché gli faceva male.

– La Persicetana è di competenza di noi di Bologna, come Stradale. Un mio brigadiere ha visto dei tipi strani che si aggiravano sul luogo dell'incidente, ce n'era uno che si era infilato nella macchina quando ancora cercavano di tirarvi fuori, e cosí mi ha chiamato.

Pugliese inarcò la schiena, massaggiandosi le reni. – Non vi preoccupate per i documenti, le fotografie e tutto il resto, commissa'... ce li ho io.

Il maresciallo aveva la faccia di uno che avesse passato la notte in bianco, ed era vero.

– Avevo paura che venissero qui a finire il lavoro, commissa', e non avevo mica tutti i torti, perché ci sono stati un paio di tizi con una brutta faccia che sono arrivati fino alla porta, ma poi mi hanno visto e sono tornati indietro. Pugliese si batté la mano sulla giacca, dove si vedeva il rigonfiamento della pistola. – La vostra ce l'ho io anche quella, commissa'.

– Grazie, – mormorò De Luca.

– Di niente, figuratevi. E poi da ieri sono in pensione e non ho piú niente da fare. Si è fatto una notte anche Di Naccio, sapete?

– Grazie, – ripeté De Luca. C'era un'altra cosa che voleva sapere, ma non riusciva a dirla perché non aveva piú voce. Pugliese la capí lo stesso.

– Sí, è venuta una ragazza. Una donna giovane, scura di pelle, è rimasta un po' a guardarvi dalla porta, poi se ne è andata. Le ho detto che non eravate cosí grave, ma piangeva lo stesso.

De Luca annuí, questa volta per davvero, e un'ondata improvvisa lo fece girare in un vortice aereo, impalpabile ma resistente. Chiuse gli occhi ma gli veniva da vomitare, cosí fissò lo sguardo sul lampadario, ma era peggio, perché aveva cominciato a girare anche quello. Allora strinse le palpebre, e piano piano il vortice si fermò, per diventare un gorgo lento e pesante, che lo trascinava a fondo di un sonno spugnoso, unto e denso, come impregnato d'olio.

Si addormentò di nuovo, proprio a metà di un sospiro.

La terza volta che si svegliò Pugliese non c'era piú.

Al suo posto, sulla sdraio di plastica intrecciata, c'era un uomo che non aveva mai visto. Magro, stempiato, con una calotta di capelli biondi, radi e cortissimi, che gli scendeva sulle tempie in un paio di basette larghe, come le protezioni per le guance di un elmo romano. Sedeva proteso in avanti, i gomiti puntati sulle ginocchia, il volto tra le mani congiunte, aperte l'una contro l'altra, la fronte sugli indici e il mento sui pollici. Aveva anche lui gli occhi chiusi, ma nel momento in cui De Luca li aprí lo fece anche lui, come se lo avesse sentito. Erano azzurri, di un azzurro chiarissimo, liquido.

– Dov'è Pugliese? – chiese De Luca.

– Lí fuori, – disse lui, – può vederlo.

C'era, infatti, si muoveva nello spicchio della porta socchiusa. Sembrava parlasse con un altro uomo, che si intravedeva soltanto in sagoma, oltre il vetro smerigliato di un'anta.

L'uomo dagli occhi liquidi si alzò, si avvicinò come per stringere la mano di De Luca ma non lo fece.

– Elvani, – disse. – Finalmente ci conosciamo, dottore.

– Non sono dottore, – disse De Luca.

– E come è diventato commissario? C'è sempre voluta la laurea.

– Sono un ventottista. La leva dei funzionari del Ventotto faceva diventare vicecommissari anche senza.

– E lei era sicuramente cosí bravo che l'hanno presa subito. Primo incarico?

– Squadra Mobile.

– Infatti. Sa che mi sono stupito quando D'Umberto l'ha assunta nel Nostro Servizio? – lo disse come se fosse davvero un nome, con le maiuscole. – Di solito non prendiamo mobilieri, di solito i nostri vengono dalle squadre politiche... ma già, lei è stato tutti e due.

De Luca chiuse gli occhi. Quando si svegliava il mal di testa tardava un po' a farsi sentire, ma quella volta era arrivato prima.

– Non credo sia qui per parlare del mio curriculum di servizio, dottor Elvani.

– In effetti no, dottor... come la devo chiamare? Ingegnere no, commissario neanche... De Luca, va bene? Elvani spostò la poltroncina per avvicinarsi alla finestra, che era subito dietro. A De Luca era sembrato che ci fossero le tapparelle abbassate, ma no, la penombra grigia che c'era nella stanza era quella del pomeriggio che stava finendo.

– Vorrei farle una domanda, – disse Elvani.

– Rispondo solo al commendator D'Umberto. Il mio capo è lui.

– Non piú. Il commendator D'Umberto ha avuto un incidente. Oddio... – Elvani alzò una mano, – non mi fraintenda. Volevo dire un incidente professionale. Destinato ad altro incarico –. L'aveva detto imitando l'accento meridionale del commendatore, il suo era veneto, leggermente cantilenante e con le *r* appena arrotondate. Mosse la mano, come per spazzare l'aria. – L'affare Montesi prenderà presto una brutta piega per la parte politica che il commendatore serviva. Non è stato abbastanza bravo da impedirlo e finché non lo rimpiazzano con qualcun altro il capo sono io. Le faccio la mia domanda.

– Gliene faccio una io, prima. Siete voi che avete provocato l'incidente?

– Questo del ponte sulla Persicetana? Sí. Come anche quello del professor Cresca, ma già lo sa. Siamo responsabili anche dell'uscita di scena del camionista e del farmacista, ma immagino sappia anche questo.

– E di Giannino.

Elvani aggrottò le sopracciglia chiarissime, poi annuí.

– Oh sí, il suo giovane assistente. Anche lui.

– E il bambino.

– Il nipote di Cresca? Non sia ingiusto, De Luca, è stato un imprevisto.

– Un imprevisto, sí, – De Luca represse una smorfia di disgusto. – Esiste davvero un dottor Pirro a San Giovanni in Persiceto?

– Non lo so, non credo. Sapevamo che ne stava cercando, uno e ce lo siamo inventato noi per farla andare su quella strada. Un'esca, insomma. L'amichetto del suo assistente si è prestato al gioco facilmente, e comunque non avrebbe potuto fare altro.

– Perché uccidere Aldino?

Di nuovo le sopracciglia aggrottate.

– Il farmacista? Perché aveva rapporti con i russi, aveva fatto da tramite col professore che volevano far passare dalla loro parte, inutilmente. Poi si era dedicato al traffico di stupefacenti con la signora e il tipografo. Giorgini falsificava passaporti per i russi, sarà passato alle ricette… – Elvani spazzò l'aria ancora una volta, come per mostrare disinteresse. – Certo, se avesse parlato con voi avrebbe sollevato un polverone piuttosto fastidioso per tutti per cui… credo che non sia dispiaciuto nemmeno ai sovietici.

Elvani sorrise. Parlava molto piano, con una voce piatta ma diretta. De Luca riusciva a sentirlo benissimo ma era sicuro che fuori dalla porta non arrivasse neanche una parola.

– Avete ucciso anche Stefania Cresca?

– No.

– Ma il Tedesco è andato alla mansarda di via Riva di Reno.

– Ovvio. I russi erano arrivati al professore tramite il farmacista e volevamo sapere se c'entrava qualcosa anche lei. La tenevamo d'occhio, e deve anche essersene accorta perché è andata a rintanarsi nell'appartamentino del marito. Hase la stava sorvegliando da un paio di giorni e quando è salito per controllare se fosse in casa ha visto la porta aperta ed è entrato, ma lei era già morta.

– E ha perquisito l'appartamento.

– Sí, ma non c'era niente di interessante. Per noi, almeno.

– Ha notato qualcuno entrare o uscire dal palazzo?

– Era appena arrivato, per questo era salito a controllare. Elvani si sedette sulla sdraio. Accavallò le gambe e uní le mani aperte, polpastrello su polpastrello.

– Adesso toccherebbe a me chiedere. Avevo una domanda sola, ma temo sia superflua. Volevo chiederle se aveva scoperto chi avesse ucciso la signora.

– No. Non ancora.

– Non piú. Non interessa, non serve, a nessuno. Le revoco l'incarico, De Luca. E stia tranquillo, ho capito che è stato un errore cercare di farla uscire di scena. Non succederà piú.

De Luca avrebbe voluto alzarsi a sedere. Si sentiva a disagio, cosí steso, e gli faceva anche male, aveva messo la mano sana dietro la nuca per tenere sollevata un po' la testa, ma era faticoso.

– Perché non dite mai le parole giuste? *Uscire di scena*, ma che significa? Uccidere, ammazzare! Giannino e gli altri, li avete ammazzati tutti!

– Li *abbiamo*, – disse Elvani. – Ma se preferisce cosí, va bene: li abbiamo *ammazzati* tutti. Tranne la signora Stefania.

De Luca sfilò la mano da sotto la nuca perché il collo gli si era irrigidito per la tensione. Fissò il lampadario, sforzandosi di vederci dentro il volto di Elvani, ma non gli bastava, cosí piegò la testa di lato, anche se gli faceva male.

– Faccia di Mostro, – disse.

– Prego?

– Il Tedesco, Hase… noi lo chiamavamo Faccia di Mostro.

– Oh, sí, – Elvani sorrise. – Credevo che si riferisse a me, stavo quasi per offendermi. Bel soprannome.

– Perché Faccia di Mostro? Ho sempre pensato che le spie, meglio ancora, i sicari, dovessero passare inosservati, e invece lui… e poi Aldino impiccato che tocca terra con i piedi, il camionista che vola giú nell'ascensore ma abitava al primo piano… cos'è, non era abbastanza bravo a far *uscire di scena* la gente? Perché tutti questi errori?

– Per gestire l'imperfezione.

– Per gestire…

– L'imperfezione. Mi spiego… – Elvani si sporse in avanti, quasi sul letto di De Luca che adesso lo vedeva bene. – Lo chiedo a un detective par suo… secondo lei il delitto perfetto esiste?

– No.

– Non sono d'accordo –. Elvani si batté la punta di un dito sulle labbra, sembrava piú un professore che qualunque altra cosa, qualunque altra cosa fosse. – Ma ha ragione, De Luca, non è esatto dire che il delitto perfetto esiste, è piú giusto dire che è quello che *non esiste piú*. Plausibile, spiegabile, comprensibile… un'uscita di scena perfetta, con tutti i dettagli a posto, si autoelimina, come se non fosse mai esistita, appunto. Ma a volte… – Elvani si sporse in avanti ancora di piú, sfiorava il letto di De Luca con i gomiti, – a volte qualcosa per proteggersi se chi ti ha dato l'ordine, un ordine che naturalmente non sta scritto da nessuna parte, ha la necessità di sacrificarti, oppure se hai bisogno tu di ricattarlo per ottenere un vantaggio, insomma, qualcosa da utilizzare serve. Un errore, un dettaglio sbagliato, un'imperfezione.

Elvani si tirò indietro, appoggiandosi allo schienale della sdraio, e annuí soddisfatto.

– Gestire l'imperfezione, sí.

Aveva gli occhi cosí chiari, con quell'azzurro cosí liquido, che ubriacava guardarli. De Luca lo fece solo per un attimo, poi chiuse i suoi. Non voleva piú vederlo, non voleva sentirlo, voleva dormire ancora, e cosí profondamente da dimenticare tutto. Sollevò il braccio sano e si coprí il volto, gli occhi infossati nell'incavo del gomito.

Elvani fraintese il suo gesto.

– La sorprende? Non le piace? Le fa schifo? – quando si arrabbiava la cantilena veneta si sentiva di piú. Sempre la voce bassa e diretta, quasi piatta, ma con le *r* piú scivolose.

– Non faccia la verginella, De Luca, c'è dentro fino al collo. C'è sempre stato. E non mi faccia la morale. Io non sono un maiale, un facocero venduto come D'Umberto, io non servo qualcuno, servo un'idea.

Lo sentí piú vicino, l'alito asciutto che gli accarezzava una guancia.

– Sí, De Luca, un'idea. Quest'Italia e questo mondo non ci piacciono, non ci piace come sono usciti dalla guerra, ma per adesso non si possono cambiare. Possiamo solo gestirli, con tutto quello che serve per farli rimanere cosí. Siamo i custodi dell'ordine.

– Cani, – mormorò De Luca dentro il braccio, – cani bastardi.

– No, – disse Elvani, – cani da guardia –. E da come lo aveva fatto De Luca capí che si era tirato indietro, e non era piú arrabbiato. Tolse il braccio dal volto, sbattendo le palpebre per riabituarsi alla penombra.

– Io sono un poliziotto, – disse, ma lo fece cosí piano che Elvani non sentí neppure. Si era alzato dalla sdraio.

– La saluto, De Luca, si riposi e si rimetta. E mi creda, il nostro Servizio non è piú interessato alla sua uscita di scena.

Quando Pugliese rientrò nella stanza trovò De Luca seduto sul letto, aggrappato al lenzuolo per non cadere di sotto.

– Maresciallo, per favore... aiutatemi a vestirmi.

– Scherzate, commissa'? Il dottore ha detto che per tre o quattro giorni...

– Quando un funzionario dei Servizi responsabile della morte di almeno quattro persone vi dice che potete stare tranquillo voi che fate, Pugliese, vi fidate?

Pugliese corrugò la fronte, poi si mosse e aprí l'armadietto, bianco anche quello come tutto il resto.

– Avete ragione. Vi aiuto a vestirvi.

Claudia.

Non era soltanto perché aveva paura per sé stesso che De Luca aveva lasciato l'ospedale cosí in fretta. Claudia non c'entrava niente con quella storia, non aveva nessuna relazione con i delitti, conosceva soltanto le persone coinvolte, ma conosceva anche lui, gli aveva parlato a un telefono che avrebbe potuto essere intercettato, e chissà cosa poteva passare nella mente di un assassino come Elvani.

E che la sua paura non fosse esagerata glielo confermò il maresciallo Pugliese, quando gli disse che per sicurezza, prima di cominciare a montargli la guardia in ospedale, aveva spedito sua moglie in vacanza al paese, giú in Meridione.

Quando arrivò in via del Traghetto con la vecchia Topolino del maresciallo e vide che davanti alla trattoria c'era un furgoncino 1100 con «Orchestra Paride Canè» dipinto a svolazzi sulla fiancata, a De Luca la testa girò ancora piú forte. Sarebbe saltato giú dalla macchina per correre dentro, ma dovette aspettare di riprendersi, camminando piano al braccio di Pugliese.

– Facciamo una bella coppia, commissa', – disse il maresciallo, agitando il bastone.

La trattoria era piena e cosí densa di caldo, di gente e di fumo che a De Luca ci volle un po' per abituarsi. Claudia però non c'era. C'era suo padre, bretelle rosse, barbetta stretta sotto il mento, seduto su uno sgabello con un braccio appoggiato alla fisarmonica a tracolla, chiusa. C'erano gli altri musicisti, sparsi in giro, senza gli strumenti, e c'era il vecchio con i baffoni a manubrio, che ricominciò a fissarlo appena lo vide entrare.

Ma Claudia non c'era.

De Luca indicò Paride Canè a Pugliese, con un cenno del mento, perché lo aiutasse ad arrivare da lui. Il rumore, le voci, il fumo dei sigari e delle sigarette gli annebbiavano la mente e sentiva male a respirare, ma aveva fretta di parlargli.

– Ma sa che io l'ho già vista, lei lí, – disse il vecchio, che l'aveva seguito.

– Sono venuto qui l'altro giorno, – provò De Luca, senza molta speranza, e infatti l'uomo scosse la testa come per dire che non intendeva quello.

– Lo conosco anch'io, – disse Paride, – è un amico della Franca... cos'è che mi ha detto che è? Un impresario?

– Anche, – disse De Luca.

– Che le è successo?

– Un incidente. Con la macchina. Niente di grave.

– Si metta ben seduto che non mi sembra mica tanto in forma.

Paride fece un cenno al vecchio, che afferrò una sedia e l'avvicinò tirandola per lo schienale. De Luca si sedette, rigido, trattenendo il fiato. Appoggiò il polso ingessato all'angolo di un tavolo, perché a tenerla giú, sul ginocchio, la mano gli pulsava.

– Se è venuto per i ranocchi ha preso male, – disse il vecchio, – oggi è la serata del bafione. Lo sa cos'è, no? Il pesce gatto, noi qui lo facciamo da Dio.

– Sono venuto per Claudia... cioè, per la Franca.

– Allora ha preso male lo stesso, – disse Paride, – non vuole che si dica, per scaramanzia, ma a lei che è del mestiere... è andata a Roma. Domani c'ha un provino alla Ricordi.

Bene, pensò De Luca, con un sollievo che per un attimo gli fece passare tutto, mal di testa, fitta alle costole, lo rese anche piú lucido e quando lo disse – *bene* – riuscí a fingere di pensare davvero al provino per il disco.

– Ma bevetevi almeno un bicchiere di vino, lei e il suo amico, cosí brindiamo alla Franchina, che per carità, non ne ha bisogno ma male non fa di certo.

Pugliese ringraziò e si sedette accanto a De Luca, mentre Paride si sfilava la fisarmonica per tirarsi piú vicino, saltando con lo sgabello.

– Ne ha passate tante, quella bambina lí... per me è sempre una bambina, anche se è una donna fatta, ma si sa, i padri, no? In certe cose io l'ho sempre, come dire, un po' ostacolata, ma non è che... oddio, quei figli di papà del jazz non mi sono mica mai piaciuti e se fosse per me la vorrei sempre dietro, perché so che quando è con noi nessuno me la tocca, nel senso che non ci può far del male nessuno, alla Franchina, e glielo dico proprio, signor?

– Morandi, – disse De Luca. Normalmente avrebbe avuto fretta di chiudere la conversazione e andarsene via, ma gli faceva piacere sentir parlare di Claudia.

– Ecco. Però, a ripensarci adesso, mi dispiace di averla cosí trattenuta, la mia bambina, voglio dire... – aveva gli occhi umidi, – ne ha passate tante da quando è morta la sua mamma, che era una bambina davvero, non come dico adesso, che è una ragazzona, insomma, ne ha passate tante che, *boja d'un mond leder*, se finalmente è venuto il suo momento se lo merita proprio la nostra Franchina. O no, Baffo?

Batté il pugno sul tavolo, rivolto al vecchio con i baffoni che aveva portato tre bicchieri tenuti con le dita dentro, e una mezzetta di vino rosso. Si vedeva che l'aveva fatto per non commuoversi davanti a tutti, e infatti la voce gli uscí un po' roca.

– O no, cosa? – disse il vecchio, versando il vino nei bicchieri.

– Senta, – disse De Luca, – immagino che chiamerà presto... ecco, quando lo fa le dice di telefonarmi? È importante –. Stava per dare il numero della pensione ma Pugliese lo fermò e disse quello di casa sua. – Anzi... se mi sapesse dire dove posso chiamarla io...

Il signor Paride gli mise una mano sul polso ingessato, piano, senza scuotere come avrebbe voluto. Sorrise, furbo.

– Io lo so perché ha cosí fretta, – disse. – Ha paura che a Roma le fanno subito il contratto e addio! Guardi che dopo la Franchina non viene mica via a due lire, come noi vecchi poveretti –. Rise, e prese il bicchiere, per batterlo forte contro gli altri ancora sul tavolo.

– Alla Franchina, Dio bono! Che lo stenda secco, il dottor Pirro, va mo' là!

Il signor Paride vuotò il bicchiere d'un fiato. Pugliese alzò il suo. De Luca restò immobile.

– Chi? – disse, con un filo di voce.

– Chi? – ripeté il signor Paride.

– Ha detto un dottore... il dottor Pirro –. De Luca aveva le labbra secche e quasi non riusciva a parlare. – Il dottor Pirro... chi è?

– Il funzionario della casa discografica che deve farle il provino. È lui che decide. Ma non brinda con noi? Non mi faccia pensar male, signor Morandi, non vorrà mica portar sfiga.

– No, – disse De Luca e ripeté *No, no*, perché non sapeva piú cosa dire. Batté il bicchiere contro quello del signor Paride e lo vuotò, in fretta. Pugliese lo fissava, senza capire.

– Si faccia un altro bicchiere e un bel bafione alla griglia, che ci sta bene, – disse Paride, e si alzò per prendere la fisarmonica.

In quell'istante il vecchio con i baffi a manubrio mise una mano sulla spalla di De Luca. Ce la mise pesante, stringendo le dita ad artiglio dentro la stoffa del soprabito.

– Adesso ho capito chi sei te, – ringhiò tra i denti. – Te sei un poliziotto. Sei un commissario, c'era la tua foto sul giornale, qualche anno fa. Ti chiami De Luca.

– Andiamo via, – gli sussurrò Pugliese all'orecchio. – Andiamo via, – piú forte, poi lo prese da sotto l'ascella e lo tirò su. – Commissa', andiamo via! – e De Luca era cosí frastornato, cosí smarrito, che anche se le costole gli bruciavano e gli scoppiava la testa, non se ne accorse neppure, e lo seguí.

Quella notte, a casa di Pugliese, non dormí un minuto. E non solo perché il maresciallo aveva chiuso porta e finestre e teneva la pistola sul comodino.

De Luca passò la notte seduto sul pavimento del tinello, la schiena appoggiata a una gamba del divano, con tutte le fotografie e i documenti del suo caso sparsi attorno come i petali di un fiore. Autopsia, appunti di interrogatori, fotografie di un corpo morto, tracce di sangue e impronte di piedi nudi.

L'angolo strappato della busta, con quelle lettere, DOTT. Il nastro della macchina da scrivere, DOTT. PIRRO ORES.

Era contento che Pugliese avesse salvato il suo dossier, anche se contento non era una parola che andasse bene, per come si sentiva.

Lo provava fortissimo, quell'insieme di angoscia, rabbia e paura, ma questa volta sapeva di preciso da dove venisse. Ci aggiunse anche un senso di vergogna, tutto professionale, per non averci pensato prima.

C'era qualcosa che doveva fare.

Una conferma che poteva ottenere.

Non piú un indizio, una prova: sí o no.

Fece per guardare l'orologio, che però si era rotto nell'incidente, e comunque sul polso sinistro aveva il gesso. Le finestre del tinello erano serrate, ma tra le persiane si vedeva lo stesso che fuori era buio. Ancora buio di notte, non di mattino presto.

De Luca sospirò, inarcò lentamente la testa all'indietro fino a incontrare il cuscino del divano con la nuca e chiuse gli occhi.

Era stanchissimo, completamente esausto.

Ma non dormí.

6 gennaio 1954, mercoledí

Quando arrivò il ragazzo con le chiavi del lucchetto della saracinesca, De Luca e Pugliese erano già lí, appoggiati al muro accanto al negozio. Assonnati, silenziosi, impazienti, avevano cosí tanto l'aria da questura che il ragazzo chiese se era successo qualcosa.

De Luca gli spiegò cosa voleva e il ragazzo gli disse che per quello doveva aspettare il titolare, che lui non era buono abbastanza per certe cose. Se intanto volevano entrare.

Il titolare arrivò mezz'ora dopo. Ascoltò la richiesta con le sopracciglia aggrottate e si sarebbe rifiutato se De Luca non avesse nominato Giannino. Era un buon cliente, quel ragazzo, cosí simpatico, gli aveva fatto un paio di scarpe e anche gli stivali, su misura. Per cui, va bene, era una cosa un po' strana ma si poteva fare.

Lo seguirono in laboratorio e rimasero con lui per tutto il tempo. De Luca gli stava addosso come un avvoltoio mentre prendeva un righello e un calibro millimetrato, poi incrociò lo sguardo di Pugliese, sorpreso e critico, e pensò che sí, non si stava comportando professionalmente, non piú.

Allora si tirò indietro, appoggiò le spalle al muro e per quanto poté congiunse anche le braccia sul petto, affondando il mento nel bavero dell'impermeabile, attento ma il piú possibile distaccato, come era sempre stato, una volta, quando era ancora un poliziotto.

– Cristo, Pugliese... sono proprio un coglione.

Fermo davanti al negozio di scarpe su misura Roveri, De
Luca accartocciò il fogliettino che il titolare gli aveva dato
e lo gettò a terra. Lo guardò rotolare sui cubetti di porfido
della strada, stringendo i denti dalla rabbia, poi fece per
raccoglierlo ma Pugliese lo fermò, e glielo prese lui, chinandosi rigido.

– Non dite cosí, commissa'.

Pugliese stese il foglietto raggrinzito e lo piegò in quattro. Sopra, scritte con la matita grossa con cui si disegna-
vano le tomaie, c'erano le misure ricavate dalla fotografia
della pianta del piede insanguinato impressa sotto il tavolino della macchina da scrivere, abbastanza completa e netta
da poterci quasi fare un paio di scarpe su misura.

Era un trentasei.

Quello che portava Stefania Cresca era un trentanove.

– No, maresciallo, no. Sono un coglione, – e lo ripeté, soltanto con le labbra, tante volte, *Coglione, coglione, coglione.*

Avrebbe dovuto pensarci prima, molto prima.

Prima che il nome del dottor Pirro della Ricordi colle-
gasse anche Claudia al luogo del delitto.

Prima ancora che quella fotografia gli facesse provare tutte quelle sensazioni, che non riguardavano lui, lui
e Claudia, ma le piante dei piedi sporchi delle mondine.

Perché avrebbe dovuto pensarci prima, molto prima,
che potesse esserci un'altra donna a piedi nudi, quel giorno, in quella mansarda.

Claudia arrivò in stazione che era già sera tardi, stanca
e infreddolita. Scese dal treno e si trascinò la valigia pesante dei regali dei cugini di Roma lungo le scale del sot-
topassaggio, giú e poi su.

De Luca la stava aspettando nell'atrio e quando si videro fecero tutti e due la stessa cosa, prima sorrisero, perché si erano riconosciuti, poi si rabbuiarono, ma per motivi diversi.

– Che vuoi? – disse lei, dura, stringendo la maniglia della valigia perché De Luca non gliela prendesse. – Ho i soldi per il taxi, grazie, torno a casa da sola.

De Luca non aveva nessuna intenzione di prenderle la valigia e non si mosse.

– Dobbiamo parlare, – disse.

– E di cosa? Di quanto stavi bene in camicia nera? Hai avuto sfortuna, il Baffo colleziona «l'Unità» da quando era ancora clandestina, se no magari ce la facevi a passarla liscia.

– Dobbiamo parlare, – ripeté De Luca.

– Io non ci parlo con i fascisti assassini.

Claudia fece un passo avanti ma De Luca le sbarrò la strada, deciso.

– Va bene, – disse, – io sono un assassino. E tu?

Claudia alzò gli occhi nei suoi e capí immediatamente, senza bisogno di aggiungere altro, che ormai lui sapeva tutto.

Quella sera doveva andare a cantare con l'Alma Mater.

Era un po' che Aldino non la chiamava, e lei lo aspettava con ansia, perché quando cantava il blues o gli standard di jazz le sembrava che Mario fosse sempre lí, ad ascoltarla. Le mancava.

Il pomeriggio, poi, aveva litigato con Paride. I soliti motivi, perché perdere tempo con quei debosciati, lo vedi che non ti vogliono, ti chiamano soltanto quando gli fa comodo a loro, perché sei scura e la morettina fa ben vedere.

Morettina, diceva Paride, non negretta, o Faccetta Nera, ma certe volte le faceva rabbia lo stesso.

Cosí, mentre camminava in mezzo a quella bufera, con
il vento bagnato che le arrivava addosso e i piedi che af-
fondavano nella neve, pensava a sé stessa, sballottata tra
l'Orchestra Paride Canè e l'Alma Mater Dixie Jazz Band,
né carne né pesce, come sempre, ma soprattutto non lei.
Era allora che si era ricordata della raccomandazione per
il provino che aveva chiesto a Mario. Le era successo altre
volte, anche prima, ma aveva sempre scacciato il pensiero
perché non le piaceva, le sembrava una brutta cosa ripen-
sare a Mario soltanto perché ne aveva bisogno.

Però era proprio da quelle parti, proprio in quel momento e proprio con quei pensieri, Paride e Aldino, moretta e
negretta, il liscio e il jazz, *Bella ciao* e *Stormy Weather*, va
bene, ma mai come voleva, mai chi era.

Il giorno prima di morire Mario le aveva detto che l'aveva scritta, la raccomandazione, il dottor Pirro della Ricordi
era un suo amico di infanzia, giocavano a pallone insieme
da bambini, avevano fatto un pezzo di università insieme,
prima che l'altro mollasse Fisica per Legge, e comunque
se ci avesse messo nella lettera soltanto metà dell'entusiasmo che provava nel sentirla cantare, glielo faceva fare di
sicuro, il provino, le aveva detto. E le aveva detto anche
che se ci avesse messo soltanto la metà della sua bravura,
lo avrebbe sicuramente superato.

Altro che metà. Claudia voleva mettercela tutta. Ma
aveva bisogno di quella raccomandazione. Mario si era
dimenticato di spedirla, ma stava nella mansarda, glielo
aveva assicurato, appena ci ripassava la prendeva e la spe-
diva, tranquilla.

Cosí aveva girato per via Riva di Reno, aveva attraversato il ponticello, si era infilata nel palazzo ed era arriva-

ta in cima alle scale. Le chiavi le aveva ancora, le teneva nella tasca del cappotto come una specie di portafortuna, e comunque nessuno gliele aveva mai richieste indietro.

Era tanta l'emozione di ritrovarsi lí dentro che non si era accorta di niente, né del caldino della stufa, né dei dischi rotti, c'erano un paio di scarpe da donna vicino all'armadio ma non aveva visto nemmeno quelle. Le era venuto un groppo in gola. Non da piangere, soltanto un nodo, di nostalgia e tenerezza.

Aveva i piedi bagnati. Intirizziti. Si era tolta le scarpe e le calze e si era seduta sul letto, le ginocchia strette tra le braccia. Poi si era tolta il cappotto fradicio e si era stesa sulla schiena, a braccia aperte, a guardare il soffitto e pensare a Mario.

Quando aveva sentito muoversi qualcuno nell'acqua della vasca da bagno era troppo tardi. Aveva fatto appena in tempo a tirarsi su dal letto e si era trovata davanti a Stefania che si stringeva addosso l'accappatoio del marito.

Non lo sapeva che fosse lí.

Quanto era successo dopo, se lo ricordava benissimo, attimo per attimo, ogni parola e ogni gesto, anche se tutte le volte che le era tornato in mente, in quei giorni, lo aveva ricacciato indietro, spingendolo giú, piú profondamente possibile.

Stefania che urla, che la insulta, che la chiama *negra* e *negraccia*, ma non era stato per quello.

Che le ride in faccia, isterica, le dice che Mario se la teneva solo per scopare, che l'aveva vista, quella lettera ridicola per Pirro, lo conosceva anche lei, e infatti l'aveva strappata, stava là insieme ai pezzi di tutti quegli stupidi dischi di jazz che odiava. Ma forse non era stato neanche per quello.

A un certo punto Stefania le aveva anche sputato in faccia. Era stato per quello? Non lo sapeva.

Però Claudia aveva preso la cornetta del telefono che stava sul tavolino e l'aveva sbattuta sulla testa di Stefania, e mica una volta sola. Aveva continuato a colpire tra gli schizzi di sangue e Stefania le si era aggrappata addosso, per non cadere, cosí sorpresa e tramortita che non riusciva neppure a ripararsi il volto con le mani. Aveva smesso di colpirla e le aveva girato il filo del telefono attorno al collo. Aveva stretto con tutte le sue forze, voleva strangolarla ma non ci riusciva perché Stefania era forte, le si era attaccata ai capelli, tirava e le faceva male. In un momento di lucidità Claudia si era fermata, ansimante, con gli occhi sgranati, e Stefania si era liberata del filo.

Tossiva, sputando sangue.

Poi era scappata verso il bagno, a caso, o perché c'era lei davanti all'uscita della mansarda, e Claudia aveva allungato una mano per fermarla, strappandole soltanto l'accappatoio, le era corsa dietro, si era buttata sulla porta per non fargliela chiudere e Stefania era indietreggiata verso la vasca da bagno.

Allora l'aveva spinta e quando lei era scivolata sul pavimento bagnato, tirando giú tutta la tenda a cui si era attaccata ed era caduta contro il bordo della vasca, le aveva piantato le mani sulla testa, per tenerla giú, e poi le aveva stretto il collo, da dietro, un ginocchio di traverso sulla schiena, i piedi nudi e bagnati di lei che scivolavano sul pavimento, scalciando e il suo ben piantato a terra, come un chiodo.

L'unica cosa che non si ricordava era quanto fosse stata ferma sulla porta del bagno, immobile, a riprendersi, dopo. Meno di quanto si aspettasse, comunque.

Le era tornata in mente la lettera, quella che era venuta a cercare. Quattro pezzi, strappati, in mezzo ai dischi, dentro la busta con l'intestazione, «Dott. Pirro Oreste, c/o Edizioni Musicali Ricordi, Roma» scritta a mano. L'aveva letta e sí, era vero, anche cosí, sconvolta com'era, in quella situazione assurda, aveva sentito un entusiasmo che l'aveva commossa. Allora aveva tirato su la sedia che avevano rovesciato durante la lotta e si era seduta al tavolino. Aveva aperto il cassetto per prendere un'altra busta con un foglio di carta intestata. Aveva infilato la busta davanti al rullo, in un modo o nell'altro, perché non era pratica, ma le tremavano le dita per lo sforzo di stringere Stefania e non sarebbe riuscita a scrivere a mano. Aveva battuto l'indirizzo, poi si era accorta che stava usando il rosso e chissà perché non le sembrava il caso. Non era molto lucida.

Allora aveva strappato la busta e l'aveva gettata nel cestino della carta. Aveva ricominciato da capo. Indirizzo sulla busta e testo della lettera sulla carta intestata, picchiando forte con gli indici.

Quando aveva finito si era ripresa tutti i pezzi di carta, la sua busta e il foglio di Mario, ed era mentre prendeva il cappotto che si era accorta delle macchie di sangue sul vestito. Quelle in faccia e sulle mani avrebbe potuto lavarsele, ma quelle sulla stoffa le sembravano cosí evidenti che sarebbe stato impossibile nasconderle. Non era molto lucida.

Non c'era tempo per tornare a casa, fino alle cave, per cambiarsi, la aspettavano per cantare. Cosí aveva preso i vestiti di Stefania. I suoi li aveva avvolti in un foglio di giornale.

Poi si era rimessa le scarpe, le calze e se ne era andata.

Di aver lasciato l'impronta di un piede sotto il tavolino, mentre scriveva a macchina, l'impronta insanguinata del suo piede nudo, proprio non se ne era accorta.

– Ma perché fermarsi a scrivere a macchina? – le chiese De Luca. – Dopo... dopo aver ammazzato una persona!

Era seduto sul sedile del passeggero dell'auto di Pugliese, incassato tra lo schienale e la portiera, e le costole avrebbero dovuto fargli un male d'inferno, in quella posizione, ma non se ne accorgeva. Lui e il maresciallo guardavano Claudia che stava dietro. Si era tolta le scarpe e aveva tirato su i piedi, abbracciata alle ginocchia, e nonostante la precisione del racconto aveva parlato piano, con voce un po' incerta, perché le tremavano le labbra e sembrava sempre sul punto di mettersi a piangere. Come una bambina.

– Perché io non ce l'ho, una macchina da scrivere, – disse. – La firma di Mario la so imitare, ma tutta la calligrafia no. In quel momento ho pensato che mi serviva una macchina come quella ma non sapevo dove trovarla. Non ero molto lucida.

Allungò le braccia, porgendo i polsi in un gesto talmente infantile che cosí ingobbita dalla curva della capote, con le labbra e gli occhi gonfi, lo sembrava proprio, una bambina.

– Io sono in pensione, – disse Pugliese, allargando le braccia.

– Io neanche ce le ho, le manette, – disse De Luca.

– E se ti portassi alla polizia per farti arrestare scommetto che troverebbero te impiccata alle sbarre entro un paio di giorni e noi due, – indicò sé stesso e Pugliese, – in fondo al canale o schiantati contro un platano qualche giorno dopo.

De Luca le strinse le mani che teneva allacciate davanti alle gambe, la cosa piú vicina di lei che potesse toccare, perché Claudia aveva alzato su di lui uno sguardo spaventato. Ma la lasciò subito.

– E poi, – mormorò, – in questa storia ci sono state tante morti cosí assurde che una piú o una meno...

Deglutí, bloccandosi, e si voltò verso Pugliese. Lo guardò un momento, come per realizzare, e poi scosse la testa, con un sorriso cosí amaro che quasi gli fece venire le lacrime agli occhi.

– Dio, maresciallo... non credevo che l'avrei mai detta, una cosa del genere!

Per tutto il viaggio dal piazzale della stazione a via del Traghetto Claudia non aveva mai pianto, mai singhiozzato, neanche tirato su col naso.

Era rimasta in silenzio con una faccia di pietra che dopo una prima occhiata De Luca non aveva piú avuto il coraggio di guardare.

Immobile, fino a quando non erano arrivati davanti all'ingresso della trattoria. Allora si era rimessa le scarpe ed era scesa dall'auto, senza salutare, senza dire una parola.

De Luca la seguí con lo sguardo finché fu possibile, piccola, dritta, dura, inclinata da una parte per bilanciare la valigia attaccata al braccio.

Si chiese se l'avrebbe mai rivista. Rivista come una volta.

– È un peccato che vi siate fatto riconoscere, commissa', – disse Pugliese. – Un piatto di ranocchi me lo facevo volentieri. Ma anche un pesce gatto, con questo odore di griglia. Com'è che lo chiamano qua?

– Potete andarci da solo, Pugliese.

– Dicevo per scherzare, commissa'. Anche se non so se ce l'avrò ancora, l'occasione. Siete sicuro che quello che abbiamo fatto in questi giorni serva a qualcosa?

– No, – disse De Luca.

– No che non siete sicuro o no che non servirà a farci restare vivi?

– No che non sono sicuro. Vi ricordate quando ci siamo conosciuti la prima volta, Pugliese? Anche quello era un caso difficile e correvamo il rischio di farci ammazzare. Eppure siamo qui tutti e due.

– Cosa vuole, commissa', ne ho passate tante anche da solo, il fascismo, la guerra, tutto il dopo, e mi è andata sempre bene. Però, – si toccò tra le gambe con l'indice e il mignolo alzati, – dopo che vi ho portato in stazione io torno qui a farmi i ranocchi, non sia mai. Com'è che li fanno da Dio? Fritti o in umido?

– Non lo so, maresciallo, non l'ho capito.

Per tutto il viaggio dalla stazione di Bologna a quella di Roma, De Luca invece dormí come un sasso.

Nonostante non fosse riuscito a prenotare una cuccetta, nonostante l'odore di stoffa fredda del sedile di seconda classe, nonostante il rollio metallico sui binari, nonostante tutto quello che era successo, nonostante Claudia e nonostante Elvani, appena appoggiò la testa al vetro del finestrino ghiacciato gli venne un sonno cosí pesante che non riuscí piú a muoversi, neppure per mettersi piú comodo.

Le punte delle dita della mano stretta nel gesso gli formicolavano fastidiosamente, le costole gli trattenevano il respiro, la testa non girava piú ma pulsava di un dolore sordo, di gomma imbottita. C'era anche un signore che parlava fitto con un altro, e con una voce gracchiante, di quelle che raschiano nelle orecchie. Pure una signora, che si alzava sempre per controllare una valigia che aveva messo sulla reticella, e da cui veniva un odore sottile di formaggio, che gli faceva gorgogliare lo stomaco.

Si addormentò comunque, e cosí profondamente che lo svegliò soltanto il controllore, e allora ne approfittò per cambiare posizione e rimpiombare immediatamente nel sonno.

Lo sapeva perché dormiva cosí, come un bambino.

Se ne vergognò anche, per un momento, un momento solo, prima di scivolare nel torpore che lo stava inghiottendo.

Dormiva di sollievo.

Aveva risolto il suo caso.

7 gennaio 1954, giovedí

Il treno terminava a Roma, altrimenti forse De Luca sarebbe arrivato fino a Napoli. Scese, anchilosato e barcollante, andò a sciacquarsi la faccia nel gabinetto della stazione, si ravviò i capelli con le dita della mano aperta e si sistemò la cravatta. Per le occhiaie e la barba di piú giorni non c'era niente da fare.

Poi prese un caffè, cercò un taxi e si fece portare in via Arenula, alla sede dell'import-export Belsole, dove si presentò a un portinaio con il naso rotto da pugile e chiese del dottor Elvani.

– Sembra un fantasma, De Luca.

– È quello che sono, dottore.

– Via, gliel'ho già detto: il nostro Servizio non è interessato a farla uscire di scena. Né lei né quel poliziotto della Stradale che era con lei in questi giorni.

– Non ci ho mai creduto, dottore, e la precisione con cui nomina il mio amico me lo conferma.

– Come vuole, De Luca. E comunque non può farci niente. Ha dormito in treno?

– Sí. Come un neonato.

– Mi fa piacere. E cosa la porta qui da me con tanta fretta?

– Volevo dirle che ho scoperto chi ha ucciso Stefania Cresca.

– E io le avevo detto che non ci interessava piú. Ma

siccome si è preso la briga di correre fin qui l'ascolto. Chi
l'ha uccisa?

– Il Tedesco, Hans Helmut Hase. Faccia di Mostro.
Silenzio.

– Lei sa che non è vero, De Luca.

– Lo so, dottore. Però c'è la testimonianza di un bambino che ha visto Faccia di Mostro uscire dal luogo del
delitto in concomitanza con l'ora dell'omicidio. In realtà lo ha visto dopo, ma abbiamo artefatto la deposizio-
ne. Testimonianza raccolta ieri l'altro da un funzionario
della Buoncostume che indagava su un eventuale illecito
utilizzo della mansarda o comunque contrario al comune
senso del pudore.

– Che sciocchezza, De Luca. Faccia conto che quel ver-
bale sia già sparito.

– Lo faccia lei, dottore, perché in effetti non c'è piú.
Ce l'ho io. E non solo quello. Ho alcuni capelli di Faccia
di Mostro incrostati col sangue della signora Cresca. Li ho
recuperati dal mio cappotto e ci sono ancora le macchie
nella mansarda, non è stato facile trattarli a dovere, ma
tra me e Pugliese mettiamo insieme una bella esperienza,
in fatto di omicidi. O di uscite di scena, se preferisce.

– De Luca, che cosa crede di...

– Aspetti, dottore. Abbiamo anche un'altra testimonianza che descrive Faccia di Mostro nell'atto di provoca-
re l'incidente che ha ucciso Mario Cresca. Testimonianza
raccolta sempre l'altro ieri da un funzionario della Stradale
nell'ambito di un supplemento di indagine e anche quella
sparita dagli atti e in mio possesso.

– De Luca, io penso...

– Ultima testimonianza, raccolta dal collega... ex collega D'Orrico sulla base di una soffiata. Nessuno si è preso
la briga di indagare sulla morte del camionista, dato che

sembrava un incidente, ma ci sono gli inquilini del penultimo piano che l'hanno sentito gridare prima di volare giú, e tra le altre cose ha gridato *Mostro*, o qualcosa del genere. Ecco, quella testimonianza è ancora agli atti, ma io ho la copia di quella che i signori Balla hanno reso prima a me. Non ha valore giuridico, però...

– Basta, De Luca.

– Mi lasci finire, dottore. Allora, abbiamo un suo uomo che uccide il professor Mario Cresca e che è direttamente collegato anche agli omicidi del camionista e della signora Stefania. Vede, è quello che diceva lei, ricorda? L'imperfezione gestibile. Ecco, se gestiti bene tutti quei dettagli che non tornano trasformano un delitto imperfetto in una indagine perfetta.

– De Luca, cosa crede di fare? Crede di farmi incriminare? Di mandarmi in galera? Davvero crede questo?

– Nemmeno per un momento, dottore.

– E allora.

– Le faccio una domanda: suo padre ha fatto la guerra? Non l'ultima, quella del '15-18.

– Sí, certo.

– Ecco, il mio no. Esonerato, lavorava in un settore strategico, faceva le spolette per le bombe. Magari era il motivo per cui ne era ossessionato. Mi faceva una testa cosí, da bambino, sarà per questo che alla fine ho fatto il poliziotto invece del militare, come voleva. Comunque, mio padre diceva che la guerra l'avevano vinta i carri armati inglesi.

– È ubriaco, De Luca?

– Ho preso solo un caffè, dottore.

– Allora è un calo degli zuccheri. Cosa c'entrano i carri armati?

– Le spiego, dottore. Probabilmente non è come dice mio padre, non so, non me ne intendo molto, però non aveva tutti i torti. I carri armati non hanno vinto la guerra da soli, ma in uno stato di sostanziale equilibrio di forze, cosí diceva lui, hanno fatto la differenza.

Silenzio.

– Vedo che capisce, dottore. Nella sua rapida e sicuramente fulgida carriera, soprattutto ora che i suoi padrini politici andranno al potere, lei si farà un sacco di nemici. Saprà certo contrastarli, ma a un certo punto la mia indagine gettata sul piatto potrebbe fare la differenza.

Silenzio.

– Cosa vuole, De Luca?

– Voglio che restiamo vivi, il mio maresciallo, io e tutti quelli coinvolti in questa storia. Ha detto che non le importava piú niente di questo caso e che non era interessato a eventuali uscite di scena. Mantenga la parola. Altrimenti c'è qualcuno in grado di far uscire la mia indagine al momento giusto. Non provi a cercarlo, in piú di vent'anni di polizia ho conosciuto gente impensabile.

– Va bene.

– Aspetti, dottore, non è tutto. Voglio tornare alla Mobile. Voglio ritornare a essere un poliziotto, un commissario, e non un ingegnere che cambia mestiere a seconda di quello che serve. Io non sono l'ingegner Morandi, io sono il commissario De Luca.

– Trattiamo. Per le uscite di scena non c'è problema, farò come dice lei. Ma per il resto... sono colpito, De Luca. Ha imparato cosí in fretta... questa variante dell'imperfezione gestibile è da manuale, la insegneremo nei corsi di aggiornamento, la insegnerà lei! Come facciamo a privarci di un talento cosí, De Luca, lei ha una carriera davanti!

Silenzio.

– Io non sono un cane bastardo. Sono un cane da caccia. Sono un poliziotto.

– Sciocchezze. Lei fa parte del nostro mondo, ormai. Con tutto quello che ha fatto, con tutto quello che sa, crede davvero che la lasceremo andare?

– Trattiamo.

24 luglio 1954, sabato

– Ha fatto un disco bellissimo… peccato che sia in italiano, quando canta gli standard è molto meglio.
– E perché non l'ha fatto in inglese?
– Perché è italiana, e gli italiani di solito cantano in italiano, no? Lascia stare che è scurettina, ma è di qui, di Bologna.
– Be', un po' si sente.
Lei era una biondina con un vestito a fiori che le scopriva le spalle sudate, bianchissime e coperte di lentiggini. Teneva in mano un ventaglio, chiuso, anche se con quella afa estiva avrebbe voluto sventolarlo fortissimo, ma lui le aveva detto che gli dava fastidio. Proteso in avanti sulla sedia, con la giacca sulle ginocchia, allungava il collo per vedere qualcosa, così da lontano dove stavano, perché il parco dell'Esedra era pieno, avevano aggiunto tavolini anche sotto le palme.
Claudia cantava a occhi chiusi, sotto un riflettore tutto per lei. Aveva un vestito nero, un tubino corto e scollato e così, con i capelli raccolti sulla nuca, sembrava più grande, meno bambina.
Scalza, le scarpe con i tacchi gettate in un angolo del palchetto, davanti alla batteria, soffiava la sua canzone nel microfono, il collo proteso in avanti, le mani appena appoggiate all'asta, in punta di piedi. Gli altri musicisti la seguivano, lenta e intensa e così struggente.

– Cos'è che canta? – chiese lei.

– *Stormy Weather*, – disse De Luca.

Era seduto al tavolino accanto, da solo, anche lui con la giacca sulle ginocchia e la cravatta allentata sul collo. Se ne sarebbe stato anche zitto, ma era la prima volta che la vedeva, Claudia, dopo troppo tempo, e si sentiva stringere dentro cosí forte che doveva fare qualcosa. Si sarebbe alzato per muoversi sotto le palme, avvicinarsi, anche, ma aveva paura che lei l'avrebbe notato, se avesse aperto gli occhi, perché aveva il viso rivolto verso di lui.

Cosí restò fermo, con quel nodo che lo stringeva, sempre piú forte.

– Mi scusi, signore...

C'era un cameriere in smoking bianco con la mano alzata sulla sua spalla, come per batterci sopra, discretamente.

– Mi scusi, ma questo tavolo sarebbe prenotato...

De Luca alzò la testa. Vide anche una coppia, poco distante, che lo guardava male.

– È tutto pieno, anche i tavolini cosí nascosti... sa, c'è Claudia Canè, stasera, la conosce, vero?

– Sí, – disse De Luca alzandosi, – la conosco.

– Se prenotava...

– Non importa, sono di passaggio a Bologna, ho visto il cartellone e mi sono infilato. Scusatemi...

– Canta da noi per tutta la settimana, se vuole tornare... facciamo cosí, mi lasci il nome, io la metto in lista, e basta che ci dia un colpo di telefono. Come si chiama, lei?

– Morandi, – disse De Luca, allontanandosi, – ingegner Morandi. Ma non importa.

Nota al testo.

Le citazioni alle pp. 4, 13 e 159 sono tratte dalla canzone *È stata colpa mia* (Rastelli/Ruiz), interpretata dall'Orchestra Ferrari.

La citazione a p. 13 è tratta dalla canzone *Triste sorriso* (Pavarani/Tettoni), interpretata dall'Orchestra Savini.

La citazione a p. 13 è tratta dalla canzone *Non ti potrò scordare* (Gershwin), interpretata dall'Orchestra Savini.

La citazione a p. 13 è tratta dalla canzone *Malanotte* (Pinchi/Pizzigoni), interpretata dall'Orchestra Nicelli.

La citazione a p. 69 è tratta dalla canzone *Mezzanotte a Mosca*, cover della famosa *Podmoskovnye večera* (Matusovskij/Solov'ëv-Sedoj). La versione italiana che troviamo qui è quella cantata da Tiziano Tomassone.

La citazione a p. 73 è tratta dalla canzone *Un bacio a mezzanotte* (Garinei/Giovannini/Kramer), interpretata dal Quartetto Cetra.

La citazione a p. 129 è tratta dalla canzone *Bèla Bulagna* (Mingozzi/Marcheselli).

Ringraziamenti.

Bologna era bellissima in quegli anni. Anche adesso mi piace (quasi) sempre, ma allora, con i navigli, la neve, tutto quel fare a metà tra il paesone e la città, era molto bella e molto diversa. Io non l'ho vissuta, naturalmente, mi sono dovuto documentare e di questo devo ringraziare chi ne ha conservato la memoria, come Walter Breviglieri con le sue splendide fotografie, ma anche Nando Giardina con i suoi ricordi su Bologna e il jazz, o Tiziano Costa sui canali, e pure Gaetano, il mio secondo padre, con cui ho guardato *Hanno rubato un tram*, con un grande Aldo Fabrizi che fa il tramviere per la città proprio in quegli anni, e ci ho messo ore a vederlo, quel film, perché a ogni fotogramma Gaetano mi fermava per farmi vedere che lí, proprio lí, c'era quello lí a fare quella cosa lí. Ce ne sarebbero tante di persone da ringraziare, ma lo spazio qui è poco, avrò cura di elencare tutti i libri, i film e i documenti che stanno sulla mia scrivania sulla mia pagina Facebook e in ogni altra occasione.

Mi sono documentato il piú possibile, dicevo, ma qualche errore l'ho sicuramente fatto. Colpa mia, e me ne scuso, spero non siano cosí gravi. Di qualcuno sono consapevole, *Mezzanotte a Mòsca*, per esempio, e *Bèla Bulagna* sono canzoni di qualche anno dopo, ma mi piaceva mettercele, e ormai è una tradizione che in ogni mio libro storico metta un brano fuori sincrono, come *Ludovico* in *L'isola dell'Angelo Caduto*, o *Avanti e indrè* in *L'ottava vibrazione*. In ogni caso, accetterò di cuore ogni segnalazione che vorrete farmi.

Come al solito, alla fine di ogni libro ci sarebbero un sacco di persone da ringraziare, ma spazio e memoria sono quello che sono, per cui accennerò solamente a Beatrice Renzi, la mia assistente, e a Marcello Cimino, che mi hanno confortato sulla tenuta del libro e sulla sua fedeltà *deluchiana*, Roberto Santachiara, il mio agente, e Paolo

Repetti e Severino Cesari, di Einaudi Stile Libero: Paolo per essermi stato addosso come quando da bambino mi riducevo a fare i compiti delle vacanze l'ultimo giorno (e adesso come allora giuro che non lo farò piú, ma sappiamo benissimo che non è vero), e Severino per la sua lettura praticamente in tempo reale, un conforto inestimabile, di cui gli sono, come sempre, immensamente grato.

Iniziato a Mordano (Bo), a casa mia, lunedí 7 marzo, alle ore 19.03 e finito a Porto Tolle (Ro), *Hotel Bussana/Bar Duesse*, lunedí 18 luglio 2016, alle 17.05.

Indice

Intrigo italiano

Questo libro è stampato su carta certificata FSC®
e con fibre provenienti da altre fonti controllate.

Stampato per conto della Casa editrice Einaudi
presso ELCOGRAF S.p.A. - Stabilimento di Cles (Tn)

C.L. 22437

Edizione

Anno

4   5   6   7   8   9   10

2017   2018   2019   2020